KB085706

跆拳道教本

5

击破/示范

国技院
世界跆拳道本部

目录

第五卷
击破/示范

第一章
击破的理解

第二章
击破的类型

第三章
示范的理解

第四章
示范的编排

1

击破的理解

1 **击破的概念**

1 — **击破的意义**

击破是使用各种跆拳道技能击打目标的技术, 也是衡量跆拳道修炼者水平和能力的一个方法。击破是训练过的身体部位将所需的冲击力传递给目标物体的过程。在此过程中, 目标物体的形状会发生改变, 例如由于冲击力的作用而被破坏。虽然冲击力由威力和时间两个因素共同决定, 但在击破中, 由于物体在受到冲击时瞬间破裂, 所以碰撞时间非常短暂。

跆拳道中的击破涉及应用这种动力学原理, 使用训练有素的手和脚的末端传递强大的冲击力, 并以最大速度将爆发力作用到击破物体上。击破要求高度的精神集中和威力集中, 需要精神、威力和技术的融合才能达到完美的境界。

2 — **击破的定义**

在跆拳道中, 击破是用于击打目标的技术, 并作为评估修炼者技能水平和威力的一个标准。具体而言, 它衡量和评估修炼者破坏物体 (如松木板、瓦片和砖块) 的技能和威力。

3 — 击破的效果

　　击破是跆拳道威力的一种表达方式。通过各种跆拳道技术, 击破展示了跆拳道威力和技术的实用性。它还展示了精神的坚韧性, 即挑战和克服人类威力和技术的限制, 以及高度的精神集中。

(1) 由于击破需要精神高度集中, 所以它有助于培养专注能力。

(2) 击破训练是身心两方面的训练, 有助于修炼者体会到舒缓的感觉, 并增强修炼者的威力, 进而促进其内心的平静。

(3) 修炼者倾向于持续努力训练击破技术, 以最大限度发挥自己的能力。

(4) 击破要求掌握威力的集中, 做到身心合一。通过训练击破技术, 修炼者能够逐步发现其中的窍门, 从而增强自信心, 并培养积极的态度和积极的生活方式。因此, 击破训练有助于保持强大的身心状态。

4 — 击破的注意事项

(1) 击破是评估一个人训练水平的方法。然而, 对于击破能力的评估, 很难制定明确的标准, 因此修炼者应该了解自己的技能水平, 谨慎参与击破活动。

(2) 击破不是一种可以立即掌握的技能, 需要大量的训练和持续的努力。

(3) 由于涉及额头的训练对身体有害, 所以应完全禁止这种训练。

(4) 过度的运动可能会导致受伤, 因此在进行击破之前必须经过相关的训练阶段。(基础体力训练 → 基本动作训练 → 基本身体腾空训练 → 技术训练)

(5) 击破必须配合全面的呼吸控制。

(6) 在击破过程中, 温和的动作和身体平衡至关重要, 击打时应快速并将身体重量施加到物体上。

2 击破的原理

1 — 击破的科学原理

击破是用身体的某个部位击打物体而使其破碎的过程。使用跆拳道动作进行击破不仅需要理解击破的科学原理和精确应用跆拳道动作，还需要不断的实践和训练来增强身心的威力。此外，培养对威力和专注力的控制感，让身体的每个动作发挥恰如其分的作用，并最小化受伤的风险也非常重要。

(1) 冲击量

冲击量衡量的是作用力在短时间内产生的效应，通过将力的大小乘以力作用的时间长度来计算量（冲击量 = 力 × 时间）。换句话说，冲击量是在碰撞发生时所有作用力的总和。此外，当一个运动物体与另一个物体碰撞时，冲击量还等于"动量的差异"。

动量是一个物理量，表示具有一定质量的物体的运动速度，它通过物体的质量 (m) 和速度 (v) 相乘来表示。

碰撞前后动量的差异 (mvf - mvi) 被称为冲击量。因此，击破中的冲击量可以通过将碰撞前的动量减去碰撞后的动量来计算。基于物理学原理，可以考虑以下三种方法来增加目标物体上的冲击量：

> **成功击破的基本原理是向目标物体传递足够大的冲击量。**

(1) 如何增加参与击破的身体部位 (手、脚等) 的速度
(2) 如何增加峰值威力
(3) 如何缩短碰撞时间

对于坚硬的物体，进行击破的冲击量不变，但缩短碰撞时间和增加威力可提高击破效率。这是因为像瓦片、砖块、大理石和冰这样的坚硬物体不耐弯曲，抗压强度较高，抗拉强度较低。要同时击破多个物体或非常坚硬的物体，尽可能增加冲击量是成功的基本原则。因此，必须根据情况适当应用上述三种方法。

常用物体的抗破坏能力与其材料性质有关，包括抗压强度、抗拉强度和抗弯强度。具体定义如下。

击破物的强度

强度种类	说明
抗压强度	物体在受到压力时每单位面积能够承受的重量。
抗拉强度	物体在受到拉力时每单位面积能够承受的重量。
抗弯强度	物体能够承受能够使其弯曲的外部力。

    击破物体的强度与其形状和材料有关。由同一材料制成的击破物体在强度上可能因其长度、宽度和厚度的不同而有所差异。因此，在确定物体的位置和冲击点时应考虑物体的强度。

    目前，木材、石材等是最常见的击破材料。其中，木材的特点是抗弯强度大，而石材的抗拉强度远低于其抗压强度。塑料的优点是用途广泛，但其强度在使用过程中会逐渐降低。

击破物体的类型（瓦片、大理石、松木板）

击破材料

材料	种类和说明
木材	常用的是松木板，具有良好的弹性。
石材	常用的是水泥瓦片和大理石；水泥瓦片的抗拉强度仅为抗压强度的1/8左右。
其他	冰、玻璃瓶、塑料瓦片、塑料砖块等。

    因此，对于弹性较高、抗弯强度高的物体（如松木板）和抗压强度高但抗拉强度低的物体（如水泥瓦片），击破技术在效率上可能会略有不同。

2 — 击破物体和击破姿势

(1) 拉伸作用力和击破的原理

当放置具有纹理的击破物体时, 例如松木板或大理石板时, 无论物体的数量如何, 都需要检查纹理的方向和水平/垂直长度。具有纹理的物体必须顺着纹理进行击打。根据抗拉强度的原理, 这样击破会更容易。大理石的外形越长越窄, 抗拉强度越低。换句话说, 考虑纹理的大小、长度、厚度和方向, 从适当的地方击打, 击破物体会更加容易。

现在, 让我们来讨论如何根据强度和材料特点来放置击破物体。在跆拳道比赛和示范中常用的击破物体有两种: 松木板和具有矩形截面的瓦片。

> 为了适当地放置击破物体, 必须考虑"物体的形状"、
> "支架的高度"和"物体的纹理"这几个因素。

将击破物体放置在支架上时, 需要考虑其长度和方向, 使支架的固定部分能够支撑物体较长的两端。应使用坚固的支架, 以防止物体在击破过程中滑动。支架的高度可根据物体的材料和厚度 (或数量), 以及示范者的安全和稳定性而调整。

做向下的冲拳或击破物体时, 支架的高度尤为重要。如支架较低, 击破位置过于靠近地面, 会导致击破姿势不当, 即使参与击破的各身体部位施加最大的威力, 整体击破威力也会因此大幅降低。此外, 向地面方向施加的力道过猛, 会增加关节和肌肉受伤的风险。

对于单个物体, 应选择高度适当的支架, 并注意物体的稳固可靠。对于多个物体, 需根据物体的位置和示范者的身高调整支架的高度。另外对于同时击破多个物体的情况, 放置方法有两种: 一是各物体之间放置支撑块以保持一定空间, 二是不放置支撑块。

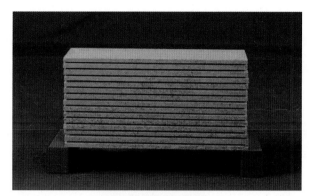

击破大理石板的放置方法

如图所示, 在物体之间放置支撑块会在每个物体上产生 "由负载产生的弯曲应力"。由于 "物体自身负载" 以垂直方向 (重力) 施加在由支撑块固定的物体上, 中心线 (x) 的上侧受到压缩作用力 (通过施加压力来减小物质体积的力), 而下侧则受到拉伸作用力 (与物体的中心轴平行向外作用的力)。抵抗这种作用力产生的应力被称为 "由负载产生的弯曲应力"。

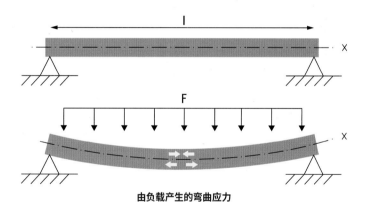

由负载产生的弯曲应力

"最大拉伸作用力" 对应于最大弯曲应力。正是由于这种弯曲应力, 相比于没有支撑块间隔的相同数量的物体, 加了支撑块后击破会更加容易。对于物体之间不放置支撑块的情况, 随着堆叠物体数量的增加, 根据动力学原理, 物体的强度会按比例或超比例增加, 所需的击破威力也会相应增加, 击破会变得更加困难。因此, 如果在击破物体之间使用支撑块, 可击破的物体数量会大于不使用支撑块的情况。

顺着松木板纹理方向击破 (竖直)

为了更容易击破, 必须沿着纹理方向施加水平威力, 因为松木板在这个方向上的抗拉强度较低。

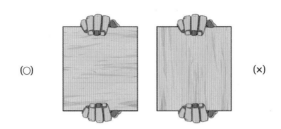

顺着松木板纹理方向击破 (放置在地面上)

由于抗拉强度较低, 沿着纹理方向施加垂直威力可以更容易地进行击破。

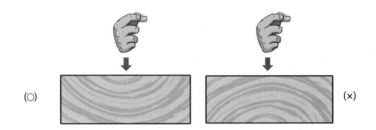

根据大理石的外形大小进行击破

抗拉强度与形状有关。形状越长且狭窄, 越容易击破。

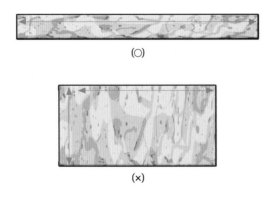

击破物体之间的间隔

击破物体之间是否有间隔会对击破产生很大影响。没有间隔, 物体相互堆叠, 厚度会增加。结果, 张力减弱, 使得击破更加困难。

当物体之间有间隔时, 张力增加, 通过相继施加的负载和作用力, 会使得击破相对容易。

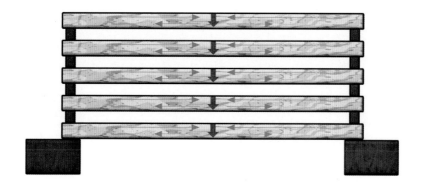

(2) 姿势

示范者在开始击破之前, 需要保持稳定的姿势, 控制呼吸并集中注意力。一个适当的姿势可以增强灵活性, 使击破过程中身体的重心移动更加流畅。换句话说, 为了成功地进行击破, 必须在击破动作开始时移动身体的重心, 提高身体部位 (手或脚) 的速度。这样可以增加击破区域的动量。为了充分移动重心, 提前采取稳定的准备姿势是至关重要的。

例如, 当需要通过跳跃动作来击破堆叠得较高的物体时, 如果没有事先采取稳定的准备姿势, 跳跃过程中难以保持身体稳定, 可能会导致受伤。此外, 由于肌肉收缩具有特定长度范围内产生最大张力的特点, 因此需要以一定角度进行击打, 以发挥最大威力, 提高示范者的动作效果。要掌握好时机, 同样需要一个稳定的准备姿势。

> 稳定的姿势对于防止受伤和增强示范者的
> 动作效果至关重要。

要保持稳定的姿势, 我们需要考虑以下运动生物力学因素。一般来说, 评估姿势稳定性的标准包括重心的高度、支撑面的宽度和身体的质量。然而, 在击破过程中, 示范者的身体质量并不会改变, 因此需要考虑重心高度、支撑面和姿势紧张度来评估击破姿势的稳定性。支撑面的宽度和重心高度对稳定性的关系可以表达如下:

也就是说, 支撑面越宽, 重心高度越低, 稳定性就越高。然而, 考虑到稳定性增加时身体灵活性会降低, 所以要适当地进行击破, 需要权衡稳定性和灵活性之间的关系。姿势稳定性和灵活性之间的关系可以描述如下:

此外, 当我们的身体保持一定的姿势时, 肌肉会紧张起来以克服重力; 维持姿势所需的肌肉紧张程度称为姿势紧张度。在击破过程中, 如果需要肌肉过度紧张才能维持稳定的姿势, 则会降低灵活性, 更有可能会影响到击破的效果。示范者应考虑到这一点, 通过不断练习来掌握最佳的击破姿势。

3 击破训练

1 — 威力击破训练

作为展示跆拳道威力的技术, 威力击破使用经过训练的手和脚的关节末端, 如拳头、手刀、前脚掌和后脚掌。在威力击破中, 示范者需要保持相对较低的姿势, 集中威力和能量。

威力击破是通过训练手 (臂) 和脚 (腿) 来展示威力和破坏力的手段。它旨在强调跆拳道的实用性, 同时也是自我训练的评估工具。

威力击破需要大量的练习和训练。确定威力击破难度时需要特别小心, 因为如果动作超出能力极限, 可能会导致严重的伤害。

为了减轻冲击并更有效地进行威力击破训练, 可以使用各种设备, 如吊袋、沙袋、竹子、竹捆、木板、训练架、训练桶、训练绳和训练棒。

拳头锻炼

一. 拳卧撑

肌肉威力发展 > 表皮适应 (防止形成破皮)

这是一种可以在家中或道场 (跆拳道馆) 轻松练习的拳头训练方法。将拳头放在地板上, 大致与肩同宽 (或更宽), 做俯卧撑。逐渐增加俯卧撑的次数以逐步提高训练难度。此外, 坐下来时, 将握紧的拳头放在大腿旁边的地板上, 并将整个身体抬离地面; 为了增加训练强度, 增加保持这个姿势的时间。

刚开始时, 使用常用的跆拳道垫子作为地板材料, 逐渐过渡到硬表面, 如木地板和水泥地面。需要逐步适应的训练方法, 因为直接在坚硬的水泥地面上开始可能会导致皮肤受伤等伤害。

二. 使用训练架进行拳头锻炼

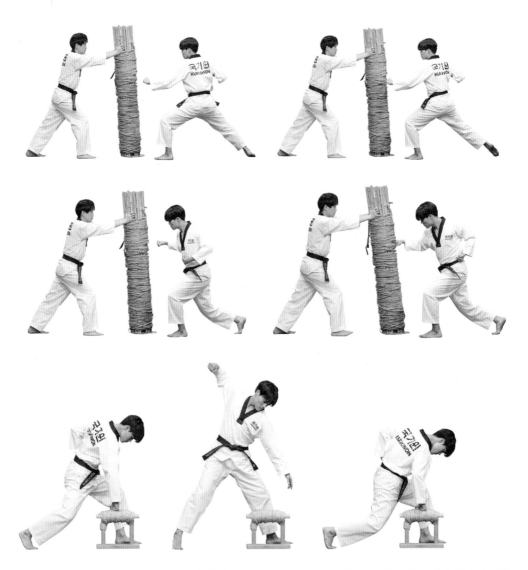

在跆拳道中, 拳头指的是将四个手指并拢且紧握在一起的手形。从正面看, 食指和中指的突出部分被称为直拳。拳头训练有两种方法: 在直立的训练架前用弓步姿势进行水平击打, 或者在与地面平行的训练架上垂直击打。

拳头训练始于在竖立的训练架前水平击打, 随后垂直向下击打。向前迈半步, 对着垂直的训练架练习你的拳头。逐渐增加训练强度, 从低到高逐步提高。训练时要注意不要擦伤皮肤。过度训练是无益的。

- 拳头的威力必须通过身体旋转来传递。
- 通过使用作用与反作用力原理, 另一只手需自然地向拳头的反方向拉动。
- 当向下击打时, 扭转腰部并恰当保持肩膀的姿势, 使威力能够快速垂直施加, 产生强大的威力。
- 练习使用直拳精确地打击目标。

背拳锻炼

握紧拳头, 将其垂直下降, 使你击打训练架的角度约为90度, 然后扭转手腕施加向下的威力。打击点必须准确, 并且打击应为下击打, 同时身体也要旋转。
- 利用作用与反作用力原理, 另一只手需自然地向拳头的反方向拉动。
- 如果臂肘偏离身体, 将无法产生强大的威力, 所以需确保臂肘紧贴身体。

手刀锻炼

一. 手刀俯卧撑

为了增强手刀的皮肤并增强肌肉威力, 在桌子高度或倾斜处用手刀做俯卧撑。逐渐增加俯卧撑的次数, 使其更有效。

二. 与搭档进行手刀打击

在这种训练方法中, 两名示范者面对面, 用手刀互相进行交叉打击。最初, 像在动作方向上画线一样进行交叉打击, 并逐渐增加威力来训练手刀。

三. 利用训练支架进行手刀锻炼

在垂直方向上以90度的角度击打训练支架。打击点必须精确; 通过调整距离以打击训练支架, 改善动作的准确度。打击时避免完全伸直臂肘。手刀还可以在平放的训练支架上弓步做水平击打训练。

- 手刀的威力必须通过身体的旋转来传递。

- 基于作用与反作用力的原理, 需自然地将另一只手向拳头的反方向拉动。换句话说, 在打击时, 必须扭动腰部, 迅速垂直降低臂肘, 使手刀在打击时产生足够的威力。

- 练习使用手刀精确地击打目标。

- 坚持不懈地进行训练。

手刀背锻炼

　　这是训练手刀背的方法。用手刀背部沿着食指的方向, 从外向内旋转, 击打目标。由于手刀背比手刀更弱, 必须充分加强, 以防止受伤。

- 必须通过上半身的旋转将威力传递到手刀背。

- 自然地放松肩膀, 使其能够大幅度摆动相当重要。

- 在训练击打过程时, 弯曲臂肘以分散冲击。

手尖锻炼

一. 五指俯卧撑

　　这种方法可以在家中或道场 (跆拳道馆) 轻松练习。用手指而不是手掌来支撑身体重量, 两手间距大约与肩同宽或更宽。五指俯卧撑训练的强度应逐渐增加, 从每只手五个手指开始, 逐渐减少使用的手指, 直到只用拇指。

二. 使用训练架进行手尖锻炼

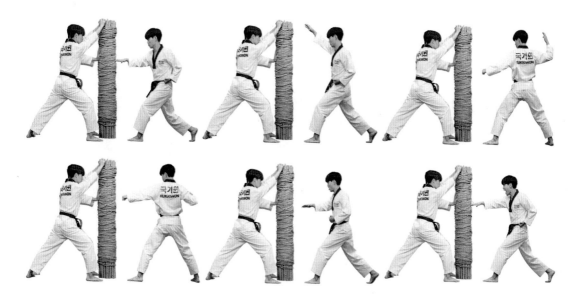

在跆拳道击破中, 手尖是指食指、中指和无名指的末端。首先, 重要的是用手尖做出正确的形状, 弯曲中指和无名指, 使它们与食指长度相同。

- 在逐渐使用较小的豆袋、米袋和沙袋训练手尖后, 可以使用训练架。
- 威力必须传递到手尖。
- 练习以便能够精确地用手尖打击目标。
- 注意保护手指, 避免骨折。

锤拳锻炼

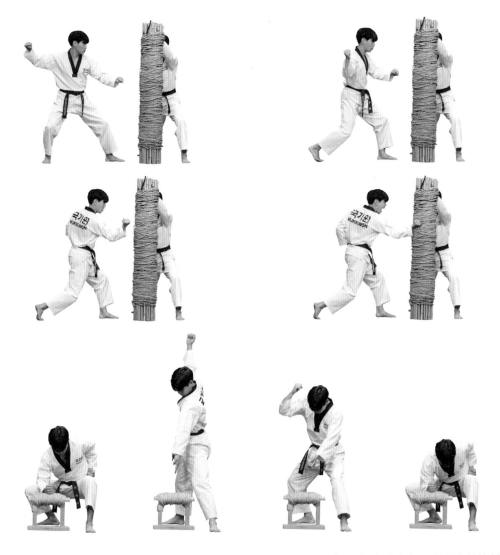

　　握紧拳头, 垂直地击打训练架, 使击打角度约为90度。打击点必须准确, 打击必须是利用身体旋转进行的下击打。

- 威力必须通过身体的旋转传递到锤拳。

- 利用作用和反作用力原理, 练习扭转腰部并向下快速击打, 保持击打臂肘的垂直方向。

- 练习用锤拳精确地打击目标。

- 锤拳训练应该持之以恒、坚持不懈。

臂肘锻炼

　　与其他身体部位不同, 肘关节具有坚固的骨骼, 因此使用臂肘击破较为容易。腰部的旋转和身体中心向下的运动应相互连接, 最重要的是威力的自然传递。

- 威力必须通过身体的旋转传递到臂肘。
- 放松肩膀以充分利用腰部的威力。
- 应藏住拳头, 以灵活扭转肩膀和腰部, 有效传递威力并精确打击。

前脚掌锻炼

　　将威力集中在大脚趾上并自然地抬起它可以增强前脚掌的威力。你可以在道场（跆拳道馆）地板上定期练习，或者搭建角度为60度的橡胶训练架和柱式训练架来训练前脚掌。

- 将体重向前移，屈膝利用地面反作用力进行打击。

- 尽快将膝盖向上拉至胸部，将威力传递到脚趾尖端。

脚刀锻炼

　　脚刀主要用于通过侧踢进行威力击破。脚刀训练通常是在道馆用两个脚刀交替踢击沙袋。一旦你掌握了技巧,可以使用柱式训练架进行训练。

- 尽量弯曲膝盖,挺直背部,使脚刀触碰目标。
- 利用地面反作用力,将体重前移,同时扭转腰部,膝盖屈伸来进行击打。

后脚掌锻炼

后脚掌指的是脚掌的后部。后脚掌用于后踢，这被认为是跆拳道中最有威力的踢法。一般来说，后脚掌训练使用沙袋。示范者在有一定熟练度后应该开始使用训练架进行击打练习。

- 直击应通过身体旋转进行。直击利用同时旋转的威力，通过肩部的角向运动停止旋转。
- 后踢有两种方法：一是修炼者原地旋转踢击，二是上步并踢击来最大化旋转威力。
- 确保支撑脚的后脚掌面对目标。

脚背锻炼

对于横踢威力击破, 首先必须训练脚背。由于脚背骨头较硬, 不经过训练就可以击破较薄的松木板, 但是要击破厚木板就需要大量训练。

迅速抬起膝盖, 就像做前踢一样, 然后扭转腰身做横踢。开始练习时, 以你的皮肤能够承受的力度来打击, 然后逐渐增加强度, 增加击打的威力。

2 — 技术击破训练

为了展示跆拳道腾空技术, 需练习立定跳跃和助跑跳跃。跳跃练习通常需要助跑。助跑的目的是集中威力和获得跳跃的动力; 它包括短程助跑跳高和长程助跑跳远。助跑形式可能因击破的类型或个人喜好而有所不同, 但在所有形式中都很重要的是练习保持笔直的姿势, 使身体不左右摇动或带步。

跳跃练习从单次跳跃开始, 并逐渐发展到跨越障碍物和踩着障碍物跳跃。此外, 随着障碍物难度的增加, 跳跃的距离和高度也需逐渐增加, 负荷也逐渐增加, 进而提高训练强度。由于这是需腾空完成的动作, 重要的是注意动作要适当; 否则, 可能会发生严重的受伤。可以通过选择在地面上屈体或坐下的方法来进行个人和团体的训练。

同时将两膝抬起

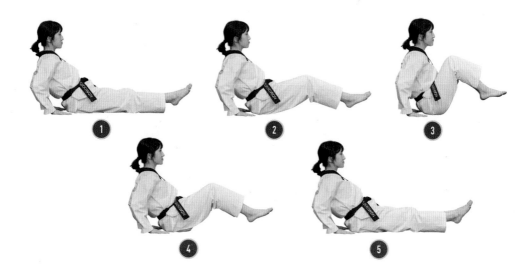

　　只用双手和臀部坐在地上，把膝盖靠在一起，迅速将它们向上拉向胸部，然后放回地面。在这个动作中不要弯曲背部或过度后仰。尽量保持上半身笔直。照片1至3展示了一组动作。三组一次，做10-30次。这是为了训练在空中做动作时同时抬起双脚的技术。

交叉膝盖

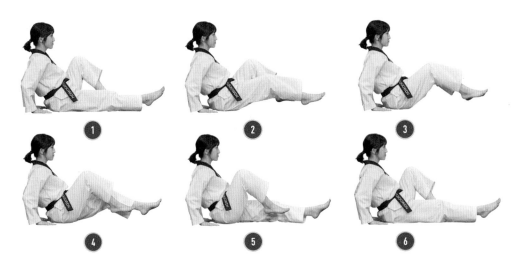

坐在地上, 只有双手和臀部接触地面, 迅速交叉膝盖。将一只膝盖尽可能靠近胸部, 同时保持另一条腿伸直。在运动过程中, 保持背部挺直, 双脚离开地面。三组一次, 大约做10 - 50次。这是训练在空中分阶段击破目标的技术。

并脚前踢

这涉及使用双脚踢出同时保持膝盖紧靠并离开地面。这是在地面上训练双脚合并腾空前踢的技术, 你需要在空中用双脚踢出后尽快收脚。注意, 过度用力踢出会导致膝盖抖动并导致受伤。三组一次, 大约做10-20次。

两脚分开前踢

　　这个动作是在两膝稍微分开的情况下, 同时用两只脚踢踢起, 保持双脚不接触地面。这是用于练习双脚前踢的地面训练, 通过快速踢腿、弯曲腿部, 并安全地双脚着地, 准确地打击两侧物体。注意, 过度用力踢出会导致膝盖抖动并导致受伤。此外, 避免过度躺下或过度弯曲上身。三组一次, 大约做10-20次。

分阶段前踢锻炼

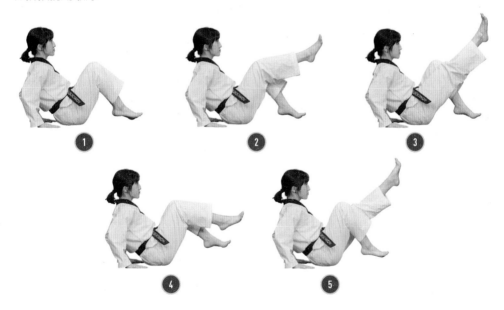

　　坐在地上, 双手和臀部着地, 抬起身体的其余部分, 通过弯曲膝盖进行前踢。三个踢腿一组; 三组一次, 大约做10-20次。根据空中前踢的水平, 练习3到5次快速踢腿。

分阶段横踢锻炼

坐在地上, 一个手肘撑地, 双膝紧靠离地, 做横踢。通过交替踢右腿-左腿-右腿来进行。三个踢腿一组; 三组一次, 大约做20次。根据空中横踢的水平, 练习3到5次快速踢腿。

分阶段侧踢锻炼

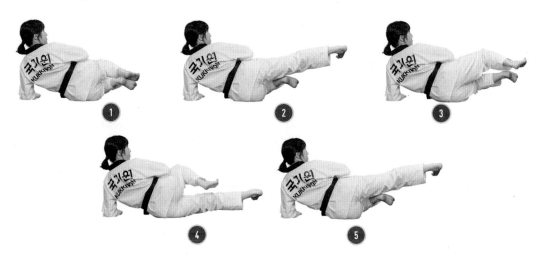

坐在地上，一个手肘撑地，双膝紧靠离地，做侧踢。通过交替踢右腿-左腿-右腿来进行。三个踢腿一组；三组一次，大约做20次。根据空中侧踢的水平，练习3到5次快速踢腿。

分阶段剪刀踢锻炼

坐在地上，一只手放在地上，两只脚离开地面，大幅度张开双腿，向左右方向做剪刀踢。刚开始可能不太熟悉，可以在剪刀踢后将双脚放在地上，然后再回到初始的姿势。整个动作要缓慢进行，但踢腿时要迅速伸展双腿。随着熟悉程度的提高和姿势的掌握，应该在脚不触地的情况下进行踢腿，快速进行踢腿和弯曲腿部等一系列动作，无需停顿。然后，剪刀踢之后立即再次将膝盖合拢，用右脚进行横踢。三个踢腿一组；三组一次，大约做20次。根据空中剪刀踢的水平，练习3到5次快速踢腿。

助跑双脚跳跃

　　这是一种同时用双脚踢出的跳跃技术, 用于击破高处物体。助跑, 快速连迈两步至起跳点, 利用助跑的加速威力向上跳起。当你落地时, 弯曲膝盖产生爆发威力; 此外, 跳跃时抬起双臂会有助于跳跃。助跑落地时动作要自然放松。如果在助跑后双脚着地, 但在起跳前做一个轻微的上跃动作, 以试图跳得更高, 这反而会让你失去从助跑获得的加速威力, 无法跳得很高, 因为这相当于没有助跑的立定起跳。

助跑单腿起跳，交叉膝盖

　　助跑单脚起跳，空中交叉膝盖，并安全着地。在这里，脚部的快速动作很重要，但踢腿是通过骨盆的运动来完成的。这个动作可以应用于腾空三阶段前踢、腾空三阶段横踢、腾空三阶段侧踢。

助跑起跳，膝盖合拢

　　这是训练越过障碍物再进行击破的动作。在初始训练阶段，通过练习在空中将膝盖合拢然后着地，确保练习的安全。

　　一旦你掌握了基本技巧，可以练习越过脚靶等柔软的材料。障碍物高度应逐步增加，从膝盖高度开始，逐渐增加到腰部、胸部、肩部和头部的高度。在跨越障碍物时，尽量蜷缩身体，以避免身体接触障碍物。

　　经过足够的练习后，可以使用真实的障碍物，比如一个跳箱。在这个阶段，从较低的高度开始，先消除对障碍物的焦虑感。随着障碍物高度的逐渐增加，同样重要的是提供心理训练，鼓励学员在心理足够强大的情况下挑战更高水平的障碍。这种方法可以用于练习腾空侧踢、腾空横踢和腾空三侧踢。

助跑单步向前起跳（腾空前踢、腾空三阶段前踢等）

　　这是一种通过助跑起跳来击破单个或连续几个物体的动作。助跑，用一只脚踩地起跳，尽量抬高另一条腿，增加跳跃的高度。跳跃后，迅速放下抬起的腿，双脚合拢以安全着陆。

转身训练涉及原地转身和跳跃时转身。跳跃和转身的训练旨在集中威力, 产生转身的驱动力。

尽管助跑方式可能因击破类型或个人喜好而有所不同, 但在转身时要保持身体的中心轴, 注意脚在地面上转动时不要晃动。另外, 为了在转身过程中尽量减少阻力, 双手应朝向身体内收, 以充分发挥旋转的威力。

360度原地旋转

练习在保持中心轴的同时原地旋转。在将中心轴移动到踏步的脚 (作为轴的脚) 时, 你可能会因向前弹跳或失去平衡而倒下。进行360度原地旋转时, 张开双手, 扭转身体, 并让其停留在空中。为了尽量减少旋转的阻力, 将双手向身体拉拢, 最大限度地利用旋转的威力。

720度原地旋转

　　一旦掌握了360度原地旋转, 就可以练习两圈的旋转。增加手臂的摆动幅度, 使在空中扭转的速度更快。

　　为了确保安全着地, 在旋转后降落时, 应让膝盖稍微弯曲, 以减少身体着地时的冲击力。

腾空540度旋转

　　助跑后向前跳跃, 并以反向旋转360度以确保安全着地。通过运用地面反作用力摆动手臂, 可以在空中自然旋转, 跳跃时尽量将膝盖拉高, 延长在空中停留的时间。

原地报膝跳

　　这种训练方法可以提高后空翻的高度。在这个练习中，你需要在原地蹲下，同时抬起和放下双臂，以尽可能高地跳起来，然后迅速将膝盖抬到胸部。用双手抓住膝盖。

抱膝跳 (2人1组)

　　这种训练可以成对进行, 以增加后空翻的高度。辅助者用双手从背后扶住示范者的两侧。示范者下蹲, 跳高, 迅速将膝盖抬至胸部。同时, 辅助者用双手支撑示范者的背部, 将其身体抬起。避免让示范者向后或向前弹跳。

毽子侧手翻

这个训练旨在进行以后空翻收尾的毽子侧手翻。双手放在地面上，侧身转身，扭动腰部，使上半身转向，朝另一个方向着地。

毽子侧手翻（跳起）

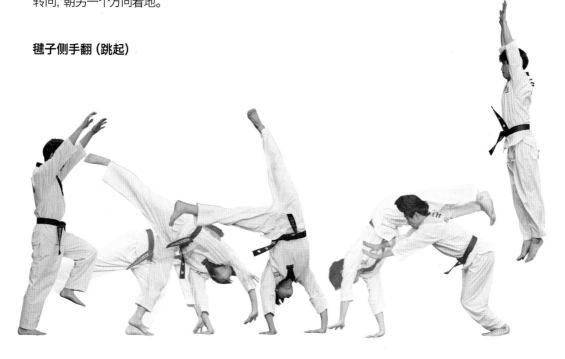

这个训练也旨在有效进行以后空翻收尾的毽子侧手翻。上半身朝前，双手放在地面上，侧身转身，扭动腰部。此时，上半身朝后低下，双脚着地，然后双臂高举跳高。

毽子侧手翻（膝盖贴胸部）

这个训练旨在有效进行以后空翻收尾的毽子侧手翻。首先，上半身向前倾斜，双手放在地面上，侧身转身，扭动腰部，使上半身朝后。然后低下身体，双脚着地，同时举起双臂跳高，迅速将膝盖抬高并尽可能贴近胸部。用双手抓住膝盖，双脚安全着地。

踩踏技术

正确踩法

错误踩法

　　辅助者应保持固定的姿势, 当示范者踩在胸部时, 不后退也不要失去平衡。示范者踩在辅助者的胸部上, 就像爬楼梯一样, 然后抬起身体。

　　在这个训练中, 示范者通过踩在辅助者的折叠手臂和胸部之间, 高高跃入空中。示范者可以踩在固定的手臂和胸部之间, 或者与辅助者合作将自己的身体抬得更高。

　　当踩在辅助者以胸部和手臂形成的支撑点上时, 示范者应像垂直跳跃那样使用起跳脚。在这里, 起跳脚的脚趾应弯曲, 脚大约有一半踩在辅助者的胸部。

　　当用起跳脚踩在支撑点上时, 身体的中心应垂直, 膝盖应稍微弯曲。如果身体的中心在支撑点后面, 则便相当于用脚踢辅助者而不是踩在辅助者身上。这会将支撑点向后推, 导致无法进行踩踏跳跃。此外, 如果身体的中心向前倾斜, 示范者可能会与辅助者一起摔倒。

踩踏跨越

　　辅助者与示范者合作, 使示范者能够踩踏并跨越辅助者。这是为了让示范者在空中保持较高位置, 提供外部威力的支持。

2

격파의

击破的类型

1 威力击破

1 — 手(臂)威力击破

① 拳头	② 手刀	③ 手刀背	④ 手尖

⑤ 背拳	⑥ 锤拳	⑦ 臂肘

		立冲拳
手 (臂) 击破	冲拳击破	横冲拳
		侧冲拳
		下段冲拳
	击打击破	前击打
		外击打
		内击打
		臂肘横击打
		下击打
	刺击击破	平手尖扣手刺击
		竖刺击

(1) 拳头击破

　　身体放松, 使臂肘与肩膀成一条直线。向一侧迅速转动上半身, 垂直转移体重到拳头上, 然后迅速打出拳头。

　　示范者应调整至适合击破的距离, 并采取准备姿势。注视击破目标点, 控制好呼吸。在完成击破动作之前, 保持视线集中在击破物体上, 并保持平静的呼吸以抑制过度紧张。在示范者通过控制呼吸和发出声音以做到全神贯注时, 采取弓步姿势, 以下冲拳进行击破。

注意事项: 在进行击破时, 确保拳头击打 (直拳) 的方向与击破物的撞击表面垂直。如果不是这样, 手与物体接触时产生的摩擦可能会导致手受伤。此外, 由于手腕可能会弯曲和扭伤, 示范者必须充分练习拳头, 并在进行击破训练时注意防范。

(2) 手刀击破

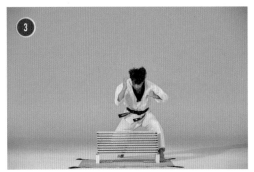

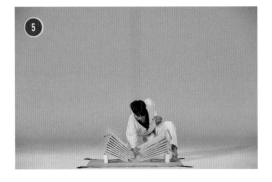

在击打之前放松并保持臂肘和肩膀的紧张状态。在击打时，垂直转移体重并迅速使用手刀进行打击，同时保持臂肘贴近身体。在击打时，通过腰部扭动，让上半身自然转动。

示范者应调整找到适合击破的距离，并采取准备姿势。在完成击破动作之前，保持视线集中在击破物体上，并控制呼吸以抑制过度紧张。在示范者通过控制呼吸和发出声音以做到全神贯注时，采取弓步姿势，以手刀做下击打进行击破。

(3) 手刀背击破

在摆动击打时, 放松身体, 但保持臂肘和肩膀的紧张状态。将击打手臂的内侧贴近身体, 将体重转移到它上面, 然后用手刀背进行击打。此时, 上半身应该通过腰部扭动自然地转动。在击打的瞬间, 确保臂肘弯曲约20度, 以避免因冲击而受伤。

(4) 手尖击破

　　放松身体, 稍微弯曲手尖, 并紧紧伸直臂肘和肩膀。在扭动腰部的同时, 将体重转移到手尖上, 迅速进行刺击。

(5) 背拳击破

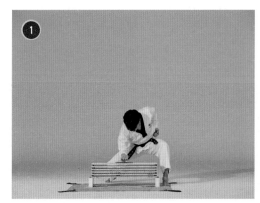
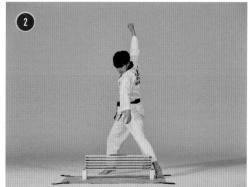

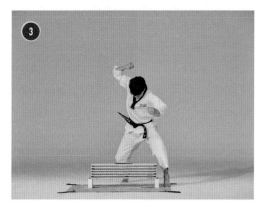
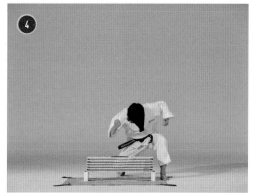

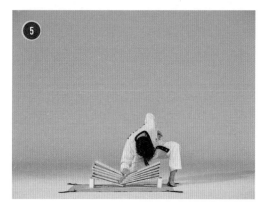

　放松身体，保持臂肘和肩膀的紧张状态，使臂肘紧贴身体进行击破动作。将体重垂直转移，并迅速用背拳进行击打。在击打时，通过扭动腰部将威力自然传递给击破物体。

(6) 锤拳击破

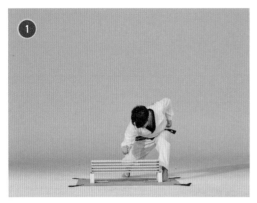

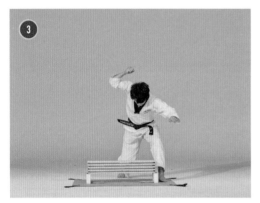

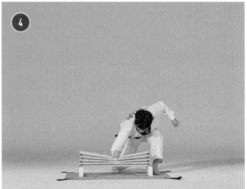

放松身体, 保持臂肘和肩膀的紧张状态, 使臂肘紧贴身体进行击破动作。将体重垂直转移, 并迅速用锤拳进行击打。在击打时, 通过扭动腰部将威力自然传递给击破物体。

(7) 臂肘击破

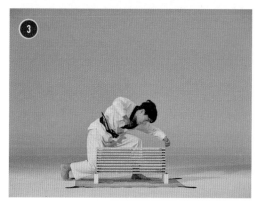 

　　臂肘击破是使用弯曲的臂肘在躯干高度上击破物体的技术。将击破物体放置在躯干高度上，以便击破示范者可以用臂肘击打物体。示范者应从准备姿势开始，并调整至适合击破的距离。在将视线集中在目标物体上后，控制呼吸。保持视线集中直到进行击破动作，并通过控制呼吸来抑制过度紧张。通过控制呼吸和发出声音来集中注意力，采取弓步姿势，然后使用臂肘进行击破。

2 — 脚威力击破

① 前脚掌	② 脚刀	③ 脚背	④ 后脚掌
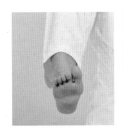	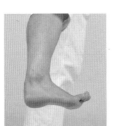	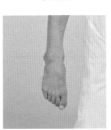	

脚击破	踢击击破	前踢 横踢 侧踢 后踢 后旋踢 下劈

(1) 前踢击破

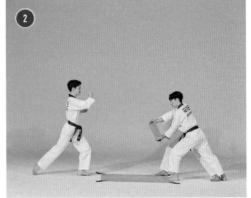

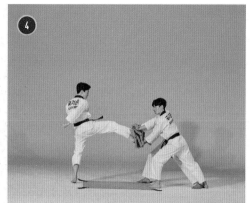

　　看着辅助者持着的击破板，弯曲并抬起膝盖向胸部拉拢，将身体的重心向前移动，用前脚掌踢击。踢完后，弯曲膝盖，将腿向前迈步。挺直背部，自然放低踢腿一侧的手臂，并轻轻将另一只手臂放在保护身体的位置。在用前脚掌踢击时避免弯曲脚趾。

(2) 侧踢击破

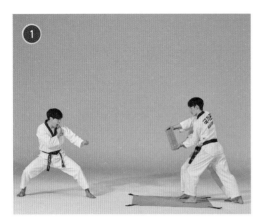 

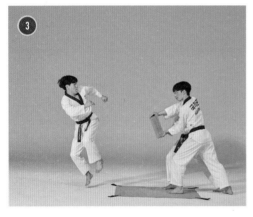 

看着辅助者持着的击破板, 抬起膝盖向胸部拉拢, 侧向弯曲髋部和膝盖, 推出髋部, 用脚侧踢。在用脚刀和后脚掌踢击时, 尽量弯曲膝盖, 挺直腰部。确保在击破时将大脚趾向内收拢, 并向内弯曲脚踝, 以免受伤。

(3) 横踢击破

横踢是一种将踢腿向内横扫的技术，用前脚掌或脚背踢击身体高度的击破物。此时，作为旋转轴的支撑脚应向着身体旋转的方向转动，骨盆不能向后突出。

(4) 后踢击破

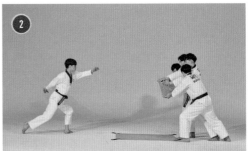

　　为增加动力, 用一只脚助跑, 并确保踩在地面上的脚后跟面向击破方向。当你转过脸后, 旋转身体, 弯曲和伸展膝盖, 然后进行击破。后踢需要在膝盖弯曲和伸展的瞬间爆发力, 以及躯干的旋转力。此外, 威力还受到膝盖角速度的影响。

　　从准备姿势 (击破准备) 开始, 调整至适合击破的距离。将目光集中在击破物体的位置, 并控制呼吸。通过平静的呼吸来抑制过度紧张。集中注意力, 继续控制呼吸和发出声音, 然后用后踢进行击破。

(5) 后旋踢击破

通过迅速改变面对的方向，扭动腰部，将膝盖抬起到胸前，身体旋转180度，并用后脚掌做后旋踢。整个旋转可以通过在初始动作中将前脚稍微向旋转方向转动来轻松进行。旋转完成后，上半身向与脚移动方向相反的方向扭动，以使旋转威力最大化。这个踢法应该由后踢与旋踢结合而成。

2 技术击破

1 — 腾空击破技术

该技术涉及跳跃一定距离, 并在空中用手和脚击破物体。

(1) 腾空前踢

腾空前踢

轻轻跑起来, 看着辅助者手持的击破板。将非踢击腿膝盖抬起到胸部, 交叉双腿用脚背踢击目标, 然后弯曲膝盖着地。腰部应保持挺直, 踢腿一侧的手臂自然下垂, 另一只手轻轻放置在保护身体的位置。

助跑后, 示范者通过尽可能高地拉起另一侧膝盖来垂直跳跃。然后, 在空中迅速弯曲跳跃脚的膝盖, 用脚背击打击破物体。

练习时, 单脚跳跃, 高高抬起另一侧膝盖, 用弯曲的膝盖前踢目标。逐渐增加跳跃的高度, 以便掌握这项技术, 并用前脚掌踢击。最终, 进行实际的击破。

两阶段腾空前踢

　　示范者在助跑后跳高, 快速连续两次交叉膝盖, 并用前踢踢击两个击破物。为了有效进行击破, 准确确定跳跃和击打点之间的距离至关重要, 此外, 骨盆应在空中扭转, 使腿部交替连续进行击破。

三阶段腾空前踢

　　示范者在助跑后跳高，快速连续三次交叉膝盖，并用三次前踢分别击破三块击破板。跳跃点和击破点之间的距离必须准确确定，并且只有在充分练习两阶段腾空击破的基础上才能进行三阶段腾空击破。轻松击破第一块击破板，在最高处猛击最后一块击破板。

　　首先，坐在地上，从低、中、高姿势开始进行三阶段前踢地面训练。然后，为了使训练更有效，跳起来在空中踢腿，并练习瞄准目标或打击模型目标。

腾空并脚踢

　　这个技术是通过跳跃做并脚前踢来进行击破。它涉及跳跃并将双脚并拢，同时用两只脚同时踢一个目标。示范者跑向目标，双脚跳起，双脚并拢，以弯曲的膝盖同时进行前踢。

　　双脚并拢，用前脚掌或脚背猛击进行击破。在初始练习中，示范者首先需要准确检查击破物的高度和踏步后的起跳点。

　　利用反应训练中用到的跳跃动作，练习跳跃并用膝盖踢击目标。然后进行实际动作。

腾空双脚分开前踢/腾空双脚分开踢

在这个技术中，双脚并拢击破两侧的松木板。看着两侧的松木板，身体稍微自然下蹲，跳起来，尽可能提起膝盖，双脚分开，用两只脚踢击。必须有效利用腿部的反弹动作和手臂的摆动动作，以产生强大的地面反作用力。

两步快速助跑后至起跳点，示范者利用跑动的加速威力直线跳起。双脚分开，用前脚掌或脚背进行击破。

要使用双脚进行前踢，双腿需要分开，因此在进行动作之前需要检查两腿分开的宽度。

(2) 腾空横踢

腾空横踢

　　轻轻地助跑, 看着辅助者手持的击破物, 然后提起膝盖跳起。接下来, 在空中暂停的顶点, 骨盆必须扭转, 然后交叉膝盖完成横踢。眼睛注视着用于击破的松木板。保持身体平衡, 不向后仰。踢击侧的手臂自然向后伸展, 另一只手轻轻放在保护身体的位置。

三阶段腾空横踢

三阶段腾空横踢是一个应用横踢的技术。在这个技术中，示范者利用助跑的地面反作用力，先用左脚跳起，然后交叉腿部，依次击破三块木板。为了跳得更高，需利用向前奔跑的驱动力。在空中踢击时，交替扭转对侧骨盆和肩膀。

在助跑后，示范者跃起，扭动腰部，踢击第一个击破物。接下来，扭动相反的脚并踢击第二个物体，第三次踢击则使用横踢。

为了练习，坐下并进行低姿势的三阶段腾空横踢地面训练，然后跳起在空中练习踢击。最初，做两阶段踢击的练习，待到熟练后，练习三阶段踢击完成整个动作。

(3) 腾空侧踢

跨越障碍物的侧踢

这个技术包括单脚起跳, 空中双脚合拢交叉, 然后对辅助者高举着的目标进行侧踢。

利用轻快助跑产生的动量, 同时注视着辅助者举起的目标。将膝盖朝胸部拉起并向侧面转动, 跳起时弯曲脚部, 不要让身体向后倾斜。将踢腿侧的手臂自然放在腰上方, 并轻轻用另一只手保护身体。眼睛应该注视脚刀。

示范者在最大速度的助跑后, 充分利用身体在空中的时间, 用侧踢对远处的物体进行击破。注意, 在空中时, 身体和脚部都要收缩, 并将膝盖弯曲以准备进行击破。

在越过辅助者时, 脚和膝盖都要伸展, 然后踢出。着地时要注意检查脚踝有无受伤。

为了练习, 可以从跳跃的空中动作开始。然后逐渐增加辅助者的高度和距离。例如, 将击破的目标物体放在地板上, 并逐渐增加它们之间的距离, 然后在实际进行击破前用单脚助跑跳远。

三阶段腾空侧踢

助跑后, 示范者应该高高跳起。接下来, 迅速将膝盖弯曲到侧踢的位置, 使每条腿依次击破三个物体。为了在空中停留更长的时间, 此时迅速将起跳的脚拉到对侧的膝盖上非常重要, 这样可以更容易地进行击破。

三阶段腾空侧踢击破训练包括练习者在地面上低位交替踢三次, 然后跳起来练习空中动作。为了练习跳跃和空中动作, 重点是进行两次踢击动作, 并使用较小的目标 (如脚靶) 反复练习, 直到熟练为止。

(4) 剪刀踢

侧踢和冲拳

在空中，先进行一记侧踢，然后立即做冲拳。确认两侧的击破物体的位置，并轻轻跳起来击打它们。

这个技术涉及使用侧踢和冲拳同时击破两侧的物体。助跑后，示范者向前跳跃，侧踢一侧的物体，并同时用拳头打击另一侧的物体。在跳跃过程中，眼睛应首先注视侧踢的方向，然后立即转向拳头的方向进行击破。

两阶段剪刀踢

同时进行斜外踢和侧踢的踢法被称为剪刀踢。之所以如此, 是因为它类似于一把剪刀的形状。

在用两个目标练习剪刀踢之前, 必须进行地面训练。这包括练习跳跃, 将膝盖靠拢, 伸直脚, 并以击破结束。具体来说, 在助跑后, 示范者单脚跳跃, 扭动腰部, 将两膝盖拉向胸部, 并用剪刀踢进行击破。

三阶段剪刀踢

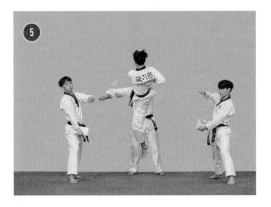

在剪刀踢之后, 立即将刚刚进行侧踢的脚弯曲, 并连接到横踢动作。在进行剪刀踢时, 跳高并停留在空中, 然后迅速从侧踢过渡到横踢, 以同时展示动作的美感和破坏力。

在剪刀踢中, 用于侧踢的脚需转向进行横踢。在此过程中, 扭动手臂和骨盆。

四阶段剪刀踢

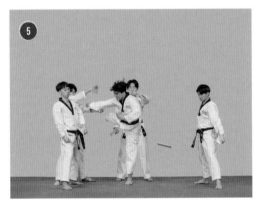

这个技术是对三目标剪刀踢的进一步扩展。示范者首先进行前踢击破, 跳起来后进行剪刀踢, 然后弯曲脚做侧踢, 立即连接到横踢, 最后用拳头击打。身体平衡和有节奏的动作非常重要。

示范者在助跑后单脚起跳, 扭动腰部将两膝盖拉向胸部, 对三个目标进行剪刀踢, 最后用拳头击打第四个物体。

五阶段剪刀踢

　　这个技术应用了四阶段剪刀踢, 并通过在空中最大限度地协调手脚之间的配合来进行击破动作。朝着目标奔跑, 用前踢击破物体, 跳起来, 在通过抬起手臂的摆动动作保持高空中的平衡时抬起上半身。在空中, 将膝盖靠近胸部, 做剪刀踢, 然后迅速切换到横踢, 接着是冲拳击打。

2 —— **垂直旋转击破**

这个技术涉及以垂直轴为中心旋转，并用后旋踢和旋风踢进行击破。这个击破技术随着旋转角度和木板数量的增加逐渐增加难度水平。

(1) 横踢

旋风踢

将目光集中在击破物体上，通过迈步向前转移重心。像用前脚掌擦拭地板一样扭动身体，旋转360度，尽可能提高另一侧膝盖，然后跳起来。在空中迅速交叉膝盖使用脚背击破物体。同时，眼睛迅速转向目标的方向。

单腿旋风踢

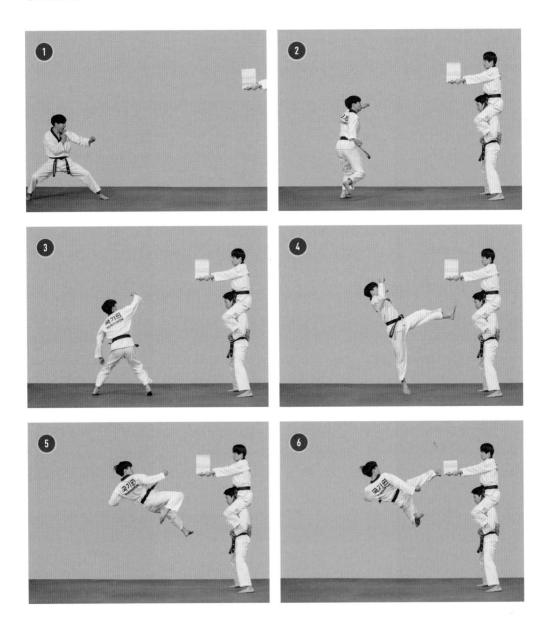

在转身时，支撑旋转轴的脚以该脚的前脚掌为中心旋转。当另一侧的脚旋转时，膝盖自然向旋转方向抬起，后脚从后向前旋转。抬起的脚向前跳跃，用跃起的脚踢打，平稳而安全地着地。在进行击破动作时，自然地将上身稍微向前倾斜旋转360度，并保持重心稳定。手臂应自然放置在旋转的身体周围，在踢腿的瞬间，手臂应向相反的方向拉动，稳定姿势。

腾空540度旋风踢

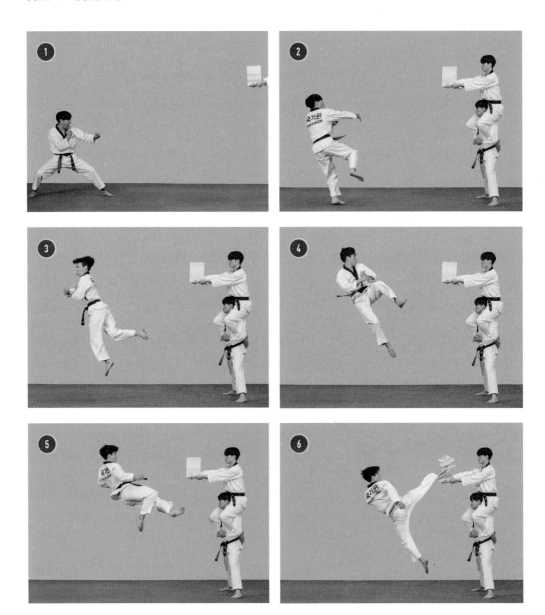

在尝试击破之前，通过跑步、单脚起跳、呈一定角度抬起另一只脚、转动身体、旋转和着地进行训练。助跑之后，示范者单脚起跳，抬起另一侧的膝盖，空中旋转540度，然后用旋风踢击破物体。起跳时应将手臂抬起。在旋转过程中，应尽量将手臂和腿部靠近身体，以减小阻力。

720度旋风踢

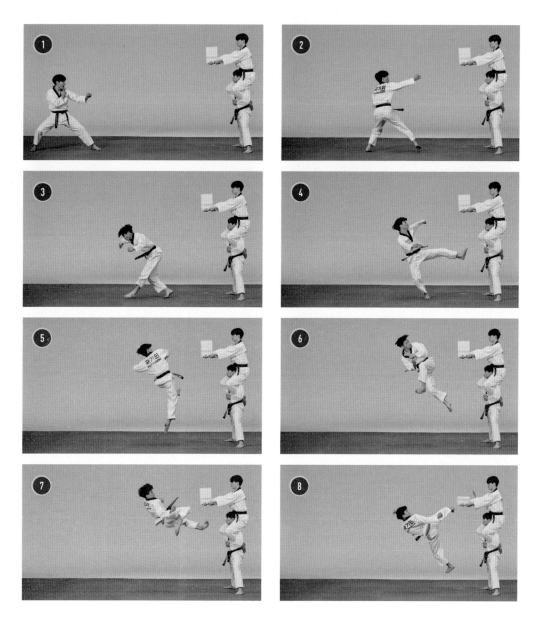

　　将目光集中在目标物体上，向前迈步以转移重心。就像用前脚掌擦地板一样，在地板上将身体旋转360度，并抬起另一侧的膝盖尽可能高地跳起来。跃入空中后，再次转动腰部完成身体360度的转动，然后用旋风踢进行击破。同时，将手臂靠近身体，尽量弯曲腿部，以减小旋转半径，使旋转更容易进行。

10回连续旋风踢

　　示范者沿着一排排列的九个击破物体的侧面移动, 用旋风踢击破每一个物体。然后, 用540度后旋踢击破第十个 (最后) 物体。辅助者们应该以固定的距离分开持有击破物体。为了避免因飞溅碎片而受伤, 每个辅助者应尽量用手臂遮挡自己的脸。

(2) 后旋踢

10回连续后旋踢

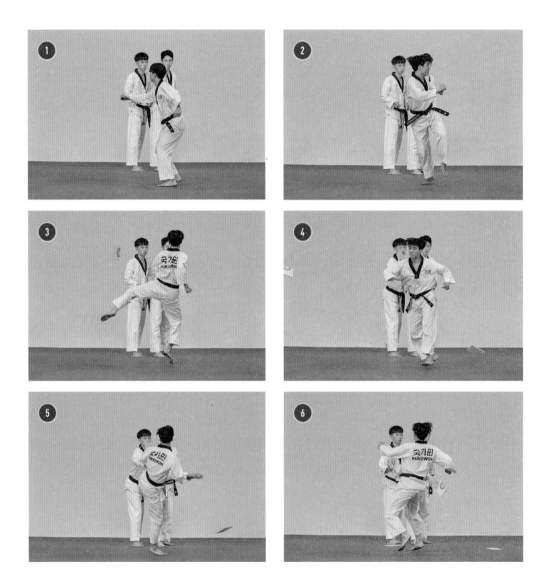

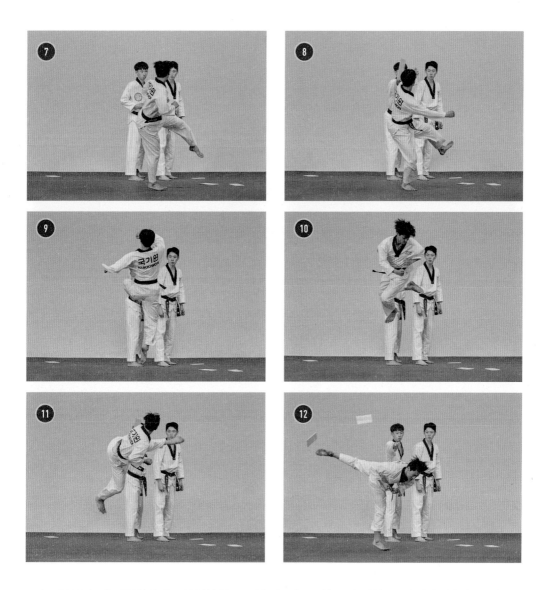

　　在后旋踢中，非踢腿的脚尽可能地旋转，眼睛朝向目标，反复进行后旋踢。脚的支撑与身体的旋转之间的连接必须自然而迅速，以突出这项技术的核心——连续的后旋踢的美感。在后旋踢中，弯曲背部，保持上半身稳定，然后随着扭转踢出。击破要求用后脚掌击打松木板的中心，辅助者必须根据示范者的踢腿速度来持住松木板。

腾空后旋踢

示范者在助跑后应该用一只脚跳起。在空中时,将与起跳脚相对的膝盖抬高,迅速转动眼睛看着目标,转动身体,然后用后踢或后旋踢进行击破。跳跃时必须将手臂高举起来。先转动上半身,然后同时转动头部和下半身。

首先要练习跳跃和空中动作,然后进行低高度的击打练习。此外,将上半身向击打脚运动的相反方向扭转,可增加成功机会,可以对目标物体进行强力打击。

540度后旋踢

一. 540度后旋踢

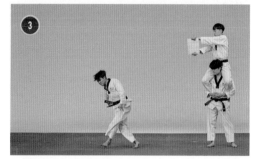
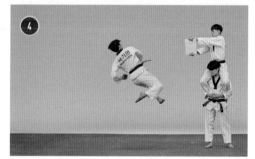

　　将目光集中在目标物上，并通过向前迈出一步来转移重心。以前脚掌摩擦地板的方式扭转身体，将身体旋转360度，尽可能抬高非支撑脚的膝盖，然后跳起。在空中，再次转动腰部并旋转180度。交替膝盖，并使用后旋踢进行击破。同时，将目光转动540度，两次瞥见目标物体。

　　利用助跑的动量用一只脚跳跃，并在最高点迅速转动头部朝向目标物体。转动眼睛和腰部，弯曲和伸展膝盖，然后在空中进行后旋踢。后旋踢需要使用腰部做水平勾踢，然后着地。

二. 二阶段540度后旋踢

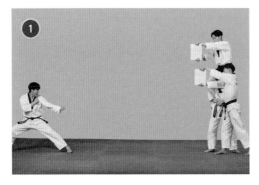

　　将身体旋转360度, 在空中迅速交替膝盖, 然后通过扭转腰部击打第一个目标物体。紧接着, 再次转动腰部旋转180度, 并使用后旋踢击打第二个目标物体。

　　在击破第一个目标物体时长时间盯着它看会减少旋转威力, 使得第二个动作 (后旋踢) 更难进行。因此, 重要的是在转动身体之前先转动头部, 这样就可在击打第一个目标物体的同时确定第二个目标物体的位置。

三. 三阶段540度后旋踢

 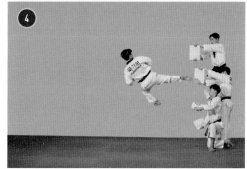

 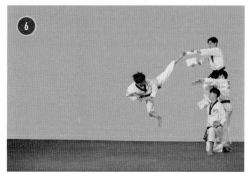

将身体旋转360度, 将非支撑腿的膝盖尽量抬高, 并以抬膝的方式踢击第一个目标物体。跃入空中, 转动腰部踢击第二个目标物体, 然后再次旋转180度, 并使用后旋踢踢击第三个目标物体。

踢击第一个目标物体的动作必须迅速, 且应产生足够的威力, 跳跃后能够在空中保持较长时间的悬停非常关键。如果跳跃得不够高, 导致悬停时间不足, 那么击破所有三个目标物体就会比较困难。重点不应该放在击破第一个目标物体上, 而应该放在第二和第三个目标物体上。

900度后旋踢

　　向前迈一步以调整重心的位置。由于这个技术涉及到很多的旋转动作, 在迈步前要小心确保中心轴不向前倾斜。垂直跳跃, 同时通过转向迈出的前脚掌旋转360度, 将对侧的臂肘拉近中心轴, 并将另一只手臂向旋转的方向移动。此外, 对侧的髋部和膝盖向外旋转并向中心轴拉拢, 支撑脚掌向地面施加压力进行跳跃。利用跳跃的旋转威力, 再次旋转540度并使用后旋踢踢击目标物体。同时, 用手臂防止进一步旋转, 并且弯曲双腿以减小旋转半径, 使旋转更容易进行。

(3) 后踢

腾空后踢

　　将用于水平起跳的脚放置在45度的角度上。这样, 在跳跃时更容易用对侧的脚斜角度踢击, 快速进行后踢。理想情况下, 非跳跃的脚应该尽可能抬高到目标物体的高度, 并且同时身体应该向前移动。

3 — 水平旋转击破

这个技术通过跳跃和围绕水平轴转动身体, 在空中向前弯曲和滚动进行击破。

(1) 后空翻前踢

这个技术涉及到在后空翻、水平旋转并进行前踢的同时击打头顶上的目标物体。踢击的脚应该弯曲到与对侧膝盖同样的高度, 并且降落点应该是初始起跳点。如果膝盖没有迅速弯曲, 示范者可能会降落在起跳点后面, 失去平衡, 向前摔倒; 因此, 踢击后膝盖应该弯曲回相同的位置。

在练习和实际进行击破动作之间没有太大的区别。然而, 有必要在躺下并抬起骨盆时进行地面踢击练习, 以有效展示空中的姿势。后空翻踢可以应用于各种形式的击破, 比如用双脚击打苹果, 或者将苹果贴在刀尖上, 用一只脚踢击它。为了更精确地展示击破, 将苹果抛向空中, 通过后空翻用一只或两只脚击打。

(2) 后空翻双脚前踢

这个技术涉及到水平向后转身, 用双脚前踢击打头顶上的物体。后空翻和双脚踢击需要足够快的威力来在空中进行后空翻和踢击。通过充分的练习和采取安全措施可以预防受伤。

首先, 摆动双臂, 然后下蹲, 跳起来。与此同时, 将双膝尽可能拉近胸部, 弯曲膝盖, 进行双脚前踢, 保持水平旋转以确保安全着地。

(3) 毽子后空翻前踢

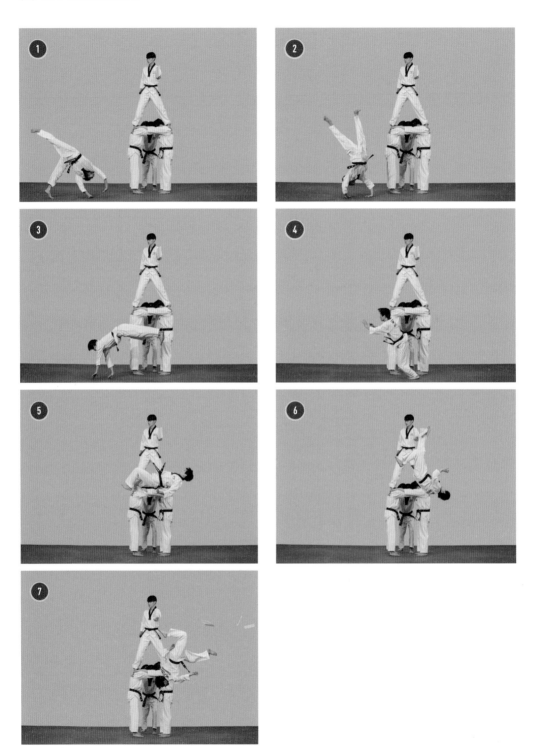

这个技术利用助跑最大化威力, 进行后空翻前踢进行击破。

由于击破发生在跳跃之后, 跳跃时保持上半身向后倾斜, 为重心向前倾斜做准备。将抬起的膝盖朝目标物体的方向抬起, 并且当踢击的脚踩在地面上时, 同时进行双脚交替来进行击破。如果破坏后膝盖没有及时弯曲, 可能会降落在起跳点前面, 失去平衡, 摔倒并受伤。因此, 踢击后膝盖应该弯曲回相同的位置。

重要的是将目光集中在目标物体上, 并围绕胸部旋转, 同时拉近下巴时抬起膝盖。在练习中, 可以进行分步训练, 如侧手翻、侧手翻跳高、侧手翻跳跃后膝盖贴胸, 然后进行实际的击破动作。

4 — 技术击破的综合应用

　　这项技术需要快速连接 (手和脚) 的各种技能, 以便以不同的方式进行击破, 比如戴着眼罩或在辅助者的帮助下进行击破。

(1) 多方向击破

在各个方向上, 使用各种技术, 迅速依次击破由多个辅助者举着的木板。示范者和辅助者必须协调合作。

基于连接动作, 按照以下顺序迅速进行预先安排的一系列动作: 后转身横踢 > 拉前脚横踢 > 高位横踢 > 冲拳 > 垫步横踢 > 垫步下劈 > 后踢 > 双飞踢 > 旋风踢 > 540度后旋踢。示范者必须把它看作是一场竞技实战, 并发出有力的打击。

与辅助者的协调合作至关重要。必须在击破板出现的瞬间, 准确判断其位置, 以高速予以击破。

(2) 蒙眼击破

蒙眼单腿旋风踢

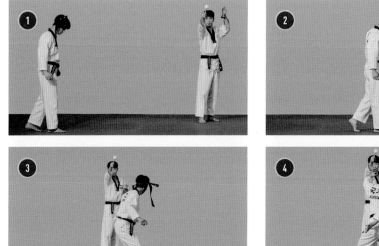

　　一旦示范者被蒙上眼睛, 辅助者就要开始摇晃铃铛。与此同时, 示范者缓慢行走, 然后利用余下的感官用旋风踢击打击破物。通过反复训练, 在蒙眼状态下也能进行击破, 方法是将动作进行详细的技术分解, 在旋转时做到固定位置和方向并选择适当的高度。

蒙眼后空翻前踢

示范者被蒙上眼睛后, 辅助者开始摇晃铃铛。与此同时, 示范者缓慢行走。一旦示范者到达适当的距离, 辅助者停止摇晃铃铛。利用余下的感官, 示范者从站立的位置进行后空翻前踢, 并击打击破物。

通过反复训练, 在蒙眼状态下也进行击破, 方法是将动作进行详细的技术分解, 在旋转时做到固定位置和方向并选择适当的高度。

(3) 快速一列击破

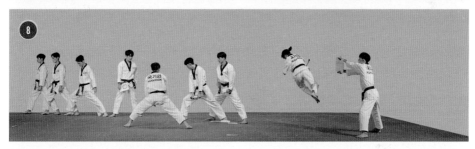

这种踢法涉及迅速击破一系列的击破物体。示范者按照以下顺序通过一系列连续动作来击破排列成一行的物体: 前手冲拳 > 臂肘横击 > 前脚横踢 > 双飞踢 > 三阶段腾空横踢 > 540度后旋踢。辅助者应该将击破物体放置在能够让示范者轻松击破的距离上。

为增加快速运动, 身体必须放松, 并利用身体的迅速发力。连续击打非常重要, 不能只想着单一的击打。

(4) 四阶段垂直踢

这是一个快速连续击破垂直堆叠的物体的方法。该技术中涉及的连续踢包括双飞踢 > 后旋踢 > 540度后旋踢。在进行连续踢时，重要的是在安全着地后快速改变姿势以进行下一个动作。

(5) 踩踏击破

踩踏前踢

助跑后, 示范者踩在辅助者胸部并高高跳起, 尽可能提高另一边膝盖的高度, 迅速再次交替跳跃的脚, 向目标物体做前踢。

在进行击破之前, 使用一个跳箱或其他设备练习尽可能提高另一边膝盖的高度。当踩踏和跳离辅助者时, 充当障碍物的辅助者扮演着关键角色。也就是说, 为了支持示范者的跳跃, 辅助者在示范者跳跃时应该发挥弹力支撑的作用。

踩踏横踢

助跑后，示范者踩在辅助者胸部并高高跳起，尽可能提高另一边膝盖的高度，迅速再次交替跳跃的脚，向目标物体做横踢。

在进行击破之前，使用一个跳箱或其他设备练习尽可能提高另一边膝盖的高度。当踩踏和跳离辅助者时，充当障碍物的辅助者扮演着关键角色。也就是说，辅助者必须在示范者跳跃时迅速抬起胸部和双臂，以确保示范者在空中停留的时间更长。

踩踏旋风踢

　　助跑后, 示范者用一只脚踩在辅助者的胸部和手臂上, 尽可能提高另一边膝盖的高度, 越过辅助者, 逆时针旋转180度, 用旋风踢踢击目标物体。在这里, 示范者必须准确地踩在辅助者的胸部和手臂上, 并在越过辅助者的胸部后, 将视线转向目标物体。辅助者和示范者之间的协调至关重要。

踩踏后空翻前踢

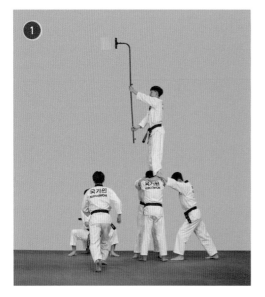

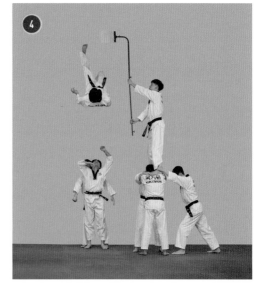

助跑后，示范者用一只脚踩在辅助者的胸部上，做后空翻，用一只脚击打目标物体，然后落地。视线只在瞬间固定在目标物体上，然后在踢击时向下看，以安全着地。确保示范者的视线不要在目标物体上停留太久，否则可能无法完成后空翻并导致摔倒。

踩踏后空翻二阶段前踢

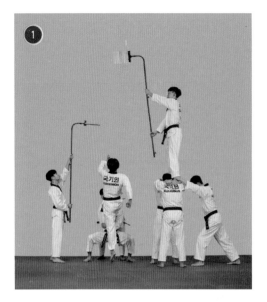
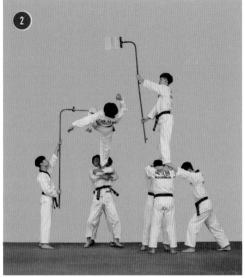

　　这个击破技术需要通过助跑、踩在障碍物或辅助者的胸部上、高高跳起来进行练习。实际示范时，示范者首先用一只脚踩在辅助者的胸部，然后进行后空翻，连续用前踢踢击两个目标物体，最后落地。辅助者和示范者应该协调合作。当示范者踩在辅助者的胸部并跳跃时，辅助者可以将示范者抬得更高，使其以更高的姿势击破目标物体。

(6) 投掷击破

这个技术涉及到投掷一个目标物体, 比如一个苹果或一个网球, 然后进行原地或助跑后空翻踢击目标物体。示范者要击中移动的物体而不是固定的物体。

    辅助者必须确保在投掷物体时的安全位置和时间间隔, 以便让示范者踢击目标物体。被投掷物体的重量和大小可能根据其类型而有所不同, 所以需要反复练习来掌握将物体下落的速度与自己的旋转速度相匹配。

3 握持击破物体和辅助方法

　　正确握持击破物体涉及使用双手固定物体。握持和固定目标物体的一部分的目的是方便击破。通过预测物体或其碎片飞出的方向，握持者可以避免伤害示范者、其他辅助者或观众。

　　通常，需握持物体的边缘，比如其上下两端。根据物体的材质或形状，以及击破的类型，握持方法可分为单手握持或双手握持。单手握持又可以分为向上或向下握持，主要用于强调速度的技术击破。双手握持也可以分为向上或向下握持，根据与击破技术相关的方向、高度和角度，在威力和技术击破中都会使用。握持物体的辅助者必须密切注意击破示范者的打击方向和示范者身体朝物体的运动，选择适当的握持方法。

1 ― 单手握持

(1) 单手底部握持

　　单手握持主要用于以下情形：在需要高速击破的技术击破中，只有一只手可用于握持物体（例如，双飞踢）；或者当辅助者位于人塔上时，使用双手无法使物体尽量远离人塔。由于单手握持相比于双手握持较不稳定，辅助者需要注意防范相关的危险。

　　示例：多方向踢击破，快速一列踢击破，踩踏横踢击破

(2) 顶部握持

通常, 当示范者从较低位置击打目标物时, 适合顶部握持, 原因是击打目标部位是物体的下部, 使用双手握持较为困难。例如, 在助跑踩踏空中旋风踢中, 由于需要击打底部, 所以需从顶部握持目标物体。

示例: 踩踏后空翻踢击破、原地后空翻踢击破

2 — 双手握持

通常情况下, 辅助者会用双手握持目标物体。具体握持方法: 手臂略微向前伸直, 以牢固固定物体, 使其在击打时不会移动。握持的位置和方法可能会根据击破技术、方向、高度和角度的不同而有所变化。

※ 请确保手臂不要弯曲。如果弯曲, 缓冲效果难免会削弱部分击破威力。此外, 在击破过程中, 辅助者的视线必须只集中在目标物上, 而不是示范者身上。盯着示范者看会导致辅助者无意识地本能地移动, 使得示范者难以完全击破物体, 同时也可能给辅助者带来伤害。

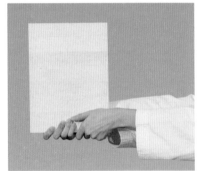

3 — 不同高度和角度的握持技术

根据击破的角度和位置, 需要不同的持物部位。为确保规范的击破, 辅助者必须安全地握持物体, 并了解示范者脚或手的运动路径。

(1) 用于前踢的握持技术

适用于多阶段腾空前踢和威力前踢。位置取决于前踢的角度。

(2) 用于侧踢的握持技术

适用于腾空侧踢或后踢。对于后踢威力击破, 双手应均匀用力, 以减小松木板的移动, 从而增加击打的威力。

(3) 用于后旋踢的握持技术

适用于旋踢击破或者击破与两眼同高的物体。也可用于三阶段腾空横踢中的第三个目标(高位横踢)。

(4) 用于落法的握持技术

这种方法适用于跨越障碍物的侧踢或者跨越障碍物进行的落法击破。将物体以一定角度放置,具体的握持方法应便于从上方打击物体。

4 — 击破辅助方法

基本击破辅助方法使用如下的配置。

一. 从后方跳上身体, 两人一组 (攀爬方法)

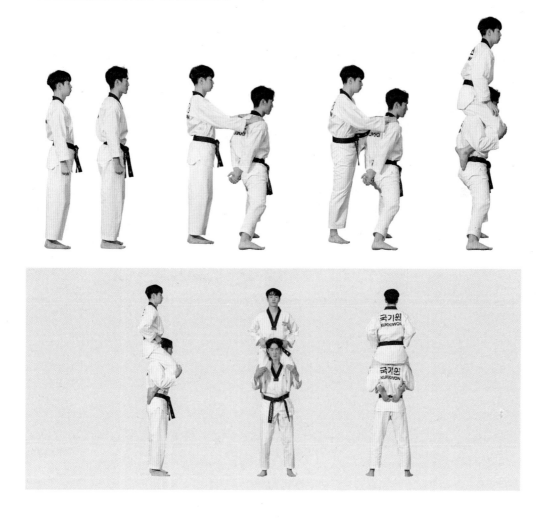

　　第一位辅助者以弓步单手握持目标物体, 并在准备过程中抬起另一只手。准备完成后, 第一位辅助者放下抬起的手臂, 以此向后方的第二位辅助者发出信号。第二位辅助者轻轻跳上第一位辅助者的肩膀。在这个位置上, 第一位辅助者收紧核心和腿部肌肉, 以避免因第二位辅助者的跳跃而失去平衡; 两位辅助者需要特别注意避免第二位辅助者的脚对目标物造成损坏。一旦第二位辅助者完全坐在第一位辅助者的肩膀上, 第一位辅助者将第二位辅助者的脚向后拉, 伸直背部, 并将目标物体传递给第二位辅助者。第二位辅助者接住目标物体, 并根据击破技术握持目标物体。

二. 辅助者姿势细节照片

　　为了在击破或移动过程中保护第二位辅助者, 第一位辅助者必须牢固地抓住第二位辅助者的腿部并固定在原位, 充当坚实的支撑。此外, 第二位辅助者通过将腿部绕在第一位辅助者的腰部上来固定自己的位置, 以防止晃动, 二者共同形成一个坚固的单位进行击破。

三. 搭建人塔 (攀爬方法)

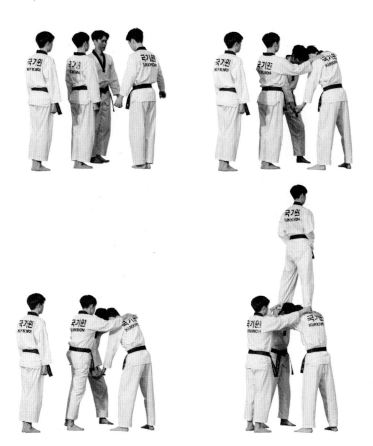

第一位和第二位辅助者用一只手抓住对方的肩膀, 用另一只手握住对方的手指, 为第三位辅助者创造一个攀爬的台阶。两位辅助者挺直背部, 低头, 让第三位辅助者攀爬时将其斜方肌作为第三位辅助者的踩踏部位。

第三位辅助者轻轻抓住两位辅助者的肩膀, 踩在握住的手上。为了完全站起来, 第三位辅助者迅速将一只脚放在一位辅助者的肩膀上, 另一只脚放在第二位辅助者的肩膀上。与此同时, 第一位和第二位辅助者抓住第三位辅助者的脚, 以防止其在肩膀上滑动或失去平衡。接下来, 第四位辅助者从后方支撑已经攀爬上来的第三位辅助者, 以防止其摔落, 并传递目标物体。

第一位和第二位辅助者应面对面站立, 用弯曲的头部固定对方的肩膀。两位辅助者应该展示出斜方肌, 以便作为第三位辅助者的踏步。为了防止第三位辅助者的脚部造成皮肤损伤, 其他两位辅助者应该翻起其道服领子来覆盖皮肤。两人应该把手指交叉, 确保牢固地握在一起。两人的手掌应该张开, 以确保有足够的空间供第三位辅助者踩踏。

第三位辅助者应该用脚掌的中央踩踏, 而不是前脚掌或后脚掌, 以避免在攀爬时失去平衡。第三位辅助者应该踩踏在下方两位辅助者的肩膀上, 而不是脖子上。第一位和第二位辅助者抓住第三位辅助者脚的前后部位, 以防止其滑动。同时, 第四位辅助者抓住第三位辅助者的脚踝, 以支撑第三位辅助者的平衡, 防止其摔倒。

5 __ 根据击破设置确定的握持方法

三阶段腾空前踢　　　　三阶段腾空横踢　　　　三阶段腾空侧踢

腾空前踢　　　　腾空侧踢　　　　越过辅助者落法

设置应做到稳定和平衡。这对于示范和观看体验都有积极影响。在示范击破设置的编排上需要考虑以下要点。

首先，考虑击破示范的便利性。击破示范受到技术和心理因素的影响。尽管示范涉及到示范者的功能熟练度相关的方面，但观察到固定目标物体产生的心理压力也是重要的考虑因素。事实证明，在进行击破时，不自然的外观或不稳定的设置对示范者构成实际的挑战。因此，在确定击破设置时，必须编排一个自然、牢固和稳定的设置，以便击破过程能够顺利成功进行。

此外，设置条件应有利于技术的进行，不会在跳跃或空中动作时给示范者造成任何不适。在配置设置时，必须牢记目标物之间的距离、间隔和状态对表演的影响很大。

每当示范者进行多次相同或不同方向的跳跃和打击时，示范者之间的距离和间距必须根据其进行的动作进行调整。涉及跳跃和空中动作的击破示范设置，如三阶段腾空前踢和侧踢，或者空中的多个动作，如果第一个和第二个目标物之间的距离太大、太小、太长或太短，会使示范者很难进行准确的动作。结果是导致击破动作难以成功进行。此外，在三阶段腾空前踢的击破设置中，如果目标物由两只手而不是一只手握持，可能会在目标物中产生过大的阻力，阻碍示范者的空中动作。

其次, 考虑观众的舒适观看体验。观看示范时, 除了实际的击破动作外, 从示范的准备到实际击破和收尾的整个场景被视为一个整体的审美单元。当观众观察到不稳定或摇摆的人塔设置时, 是否会感到心理不适? 如果发现三阶段腾空横踢的设置不平衡, 出现从一侧到另一侧的扭转, 并且手持不同的目标物, 观众就无法完全领略到击破的美感。一个整体平衡和稳定的击破设置会给观众留下良好的审美印象。此外, 观众将会体验到紧张和期待, 期待即将到来的击破动作, 从而为观赏带来愉悦的体验。

除了考虑击破示范的便利性和观赏性, 还应该考虑如何以精致的方式将上述基本设置在舞台上进行布置。尽管每个基本的击破设置可能都有其自己的特点和价值, 它们必须被配置到整体的示范中。在创建个别设置的组合时, 重要的是要牢记舞台使用, 例如移动和跳跃、飞行以及目标物的距离和角度。

3

示范的理解

1 示范的概念

1 — 示范的意义

跆拳道示范旨在通过展示跆拳道训练锤炼的技能的魅力和威力, 激发观众的兴趣和情感, 进一步推广跆拳道的精神和价值观。跆拳道示范始于简单的强调护身的技术, 如威力击破和跳跃击破, 重点放在实用性和在现实生活中的应用上。此后, 跆拳道示范在形式和内容上经过系统和创造性的演进, 积极融合了社会结构和文化的变化。

具体而言, 基本元素的示范, 如基本动作、品势、击破、实战和护身动作, 已经演变成强调跆拳道动作应用和美感的形式。通过整合这些基本元素, 它已经发展成为一个以主题表演形式呈现给观众的全球化表演艺术。

随着主流文化和吸引力的多样化, 对身体健康的重视以及社会结构的变化和发展带来的观众期望的提高, 示范已经演变成多种改进形式。对健康的日益关注使得跆拳道示范包含一些与时俱进的内容, 如冥想和跆拳操。

跆拳道示范从传统示范开始, 现在已经演变成一个带有故事和主题的表演文化, 如果将其与戏剧和歌剧等艺术内容结合起来, 可具有无限的发展潜力。

2 — 示范的定义

示范一词由"示 (展示)"和"范 (模范)"两个字组成。因此, 它在词典中的意思是"树立榜样"。它指的是教学和学习活动中教师或技术熟练人员通过实例的展示, 让学习者明白如何掌握目标技能或一系列动作, 从而进行观察性学习的过程。因此, 示范包括部分或完整的实际动作, 以及规则或知识的解释。此外, 示范还可以指向他人展示通过教育活动学到的原理或功能。

在体育教育和武术领域中, 示范一词仅用于狭义上指教练员向学生展示并解释动作。在跆拳道中, 示范涉及对其基本技术和动作的示范, 包括品势、实战、击破、护身和其他特殊技术, 以及展示跆拳道的"基本"、"模范"、"标准"和"核心"内容。跆拳道示范通过展示跆拳道的真正特性, 能够有效激发观众的兴趣和情感。

作为推广跆拳道的手段, 跆拳道示范始于相对简单的示范, 如威力击破强调实用性和实际应用的示范, 以及保护个人免受危险情况的护身动作。自那时起, 跆拳道逐渐发展成为流行文化, 并向表演艺术领域延伸。换句话说, 跆拳道已经从一种用于护身的武术发展成为一种能够促进健康和自我实现的艺术形式, 使跆拳道技术得以升华为艺术。由于跆拳道示范不仅包括对身体技能的表达, 还包含了克服自我和在训练过程中实现无私的哲学元素, 因此观众对跆拳道示范会以审美的角度进行观赏。跆拳道示范进一步以全面的艺术形式展示了跆拳道的基本技术和核心要素, 如技能和精神。

基于这一点, 可以将跆拳道示范视为激发兴趣和情感的工具, 它还通过展示跆拳道训练中培养出的技能的美感和威力来推广跆拳道的价值观。

3 __ 示范的效果

跆拳道示范通过展示其基本技术和核心要素, 阐述了跆拳道的精神和技术, 从而宣传了跆拳道的实效性和实用性。此外, 跆拳道示范涉及运用和发展跆拳道的基本技术并展示给观众的过程, 这个过程在发展新的跆拳道技术方面起着重要作用。

而且, 跆拳道示范不仅展示了跆拳道的身体技能, 还通过忍耐和自我控制克服自我, 表达无私状态的哲学元素。因此, 跆拳道示范不仅仅是展示跆拳道技术, 而且满足了观众对愉悦、感动和启发等心理需求, 为观众带来了真实的艺术体验。

4 — 示范的变迁过程

在摆脱日本殖民统治后, 大多数跆拳道馆的示范专注于展示修炼者的技能和威力, 以招募新的修炼者并促进发展。典型的示范包括基本动作、品势、击破和自由实战。

第一次海外跆拳道示范是由韩国陆军跆拳道示范团于1959年3月组织的, 由崔泓熙带领的21名成员在越南和台湾进行了为期两周的演出。大韩跆拳道协会于1965年组织了一个跆拳道友好代表团 (主任: 崔泓熙; 成员: 权宰和、朴钟秀、金重根和韩子教), 访问了德国、意大利、埃及、土耳其、新加坡和马来西亚六国进行跆拳道示范。

在1972年的慕尼黑奥运会期间, 活跃在德国的跆拳道师范, 如徐允南、权宰和和李庆明, 为奥运会的记者、运动员和管理高层举办了一次示范。这些示范提供了向全世界介绍跆拳道的机会, 展示其作为一种韩国武术的特点, 并在跆拳道的全球化中发挥了重要作用。

作为1972年首届全国青少年体育大会开幕式的一部分, 跆拳道在名为"让我们保卫国土"的大型运动项目中亮相。这标志着跆拳道大型运动项目的开始, 后来成为了大型国际比赛如第十届亚运会和第二十四届奥运会上跆拳道示范的主题。

首届世界跆拳道锦标赛于1973年举行, 此后发展出了许多国际跆拳道锦标赛。为了响应这一发展, 各种跆拳道活动伴随这些比赛而出现, 从而需要一个专业的示范团来推广和展示跆拳道。最后, 国技院跆拳道示范团于1974年成立, 通过在世界各地和韩国进行示范巡回演出来推广跆拳道文化。

跆拳道示范和比赛得到了复兴, 形成了国际性赛事的形式, 例如国技院世界跆拳道联欢会和大韩跆拳道协会组织的各种击破比赛。换句话说, 跆拳道示范已经演变成一种结合跆拳道动作美感、精致表演和故事的示范文化。

早期威力击破（击破砖块和松木板）

二十四届首尔奥运会开幕式上的跆拳道示范

跆拳道示范表演化

2 示范的构成原理

1 — 示范的构成要素

跆拳道示范的要素包括示范者、观众、制作人 (导演、策划人)、示范场地、用于击破的物体以及其他道具。这些要素是示范的基础, 彼此之间密切相关。跆拳道示范的每个要素在整体创作中都扮演着独特的角色, 一个完整的示范离不开每个要素的贡献。对这些要素的解释和运用可能会改变示范的内容。

跆拳道示范的构成要素

(1) 示范者 (示范团)

示范者 (团) 直接参与示范, 是跆拳道示范中最重要和关键的角色。示范者分为主要示范者 (在示范的每个部分中担任重要角色), 以及辅助示范者 (团) (维持整体示范的和谐)。

结合示范者 (团) 和示范的目的和性质, 可从年龄、性别、训练经验、示范能力和参与人数等因素划分示范团。根据示范团的年龄, 可以分为儿童示范者 (团)、青少年示范者 (团) 和成人示范者 (团)。此外, 从性别上来看, 示范团可以分为男子、女子或混合示范团。根据跆拳道的训练经验, 可以分为有级 (彩色腰带) 示范者 (团) 和有段 (黑带) 示范者 (团)。根据示范者的能力, 可以分为由跆拳道学生组成的普通示范者 (团) 和专业示范者 (团)。最后, 根据参与人数的多少, 示范可以分为单人示范、最多30人的小组示范, 或者大型团体示范, 例如跆拳道大型集体示范。

示范者 (团) 需要具备特定的素质才能进行现场示范。一般的示范需要强大的心理态度和优秀的技能, 同时特殊的示范还需要具备多种能力, 例如熟练的技术示范能力, 友好和幽默感, 以及基于灵活思维的能力。因此, 示范者 (团) 不仅需要展示技术, 还应展现通过跆拳道训练所获得的心理和身体素质, 例如整洁划一的外表, 训练有素的肌肉, 面部表情和呼喊声。

示范者 (团) 需要具备灵活的态度来应对示范过程中的任何情况, 并且必须训练其心理素质和身体以具备相关的心理和技术能力。怀着代表跆拳道的心态, 保持正确的跆拳道态度、整洁的外貌并努力展示体面的行为尤为重要。

跆拳道示范者

(2) 观众

跙拳道示范的现场观众可以按照年龄进行分类, 即儿童、青少年和成年人, 也可以按照其背景特征进行分类。

首先, 观众的特征指的是观众对跙拳道的认知。这包括观众事先对跙拳道示范的了解程度、信息和经验水平, 即是否接受过跙拳道训练或参加过示范, 以及其经验程度。其次, 它们指的是构成观众的单位结构, 无论是个人、家庭还是社会群体。

制作人和示范者 (团) 应该对观众有详细的了解。观众信息在示范内容的编制中起着关键作用。换句话说, 需要根据观众对跙拳道的认知水平和观众构成单位的变化, 对整体的不同方面, 特别是细节、过程和难度分配进行区分。

因此, 从制作人和示范者 (团) 的角度来看, 有必要通过事先对观众特征进行分析, 从观众的角度规划和进行示范。结果, 从规划示范的制作人的角度来看, 观众应被视为另一个补充和完善示范的示范者 (团)。

(3) 导演 (主教练、策划者)

导演指的是代表、指导和运营示范团的领导者, 根据示范的目的, 从练习到准备、实施和收尾, 建立、执行和监督整个示范过程。

作为示范团的导演应该努力根据创造性思维和对每个环节的考虑, 完成一场示范, 并在整个演出过程中协调各个单独的示范。导演应考虑或展示以下内容:

- 对示范的目的和必要性有深刻的认识
- 树立榜样和强有力的领导力
- 能够赢得示范者的信任和尊重的心态和行为
- 努力将专业知识与广泛的示范经验和知识相结合
- 努力识别个体示范者的优点和缺点, 并在整个示范中予以安排和组织
- 经营民主的示范团队, 尊重示范者的意见
- 灵活安排个人和团体示范, 并根据观众的水平适当分配难度水平
- 支持发现和发展示范者的潜力
- 安全的示范训练和准备
- 通过会议评估并制定对策

(4) 场所

示范的场地在示范节目的组成和操作以及实际示范中具有特别重要的地位, 对示范的成功也有决定性的影响。跆拳道示范的场地可以分为室内和室外。室内场地可能包括剧院、体育馆、大型综合体育馆和道馆, 而室外场地可以是操场、花园和普通体育场等。

对于跆拳道示范, 场地与空间相关的问题以及观众的体验密切相关。首先, 示范场地涉及示范场地的面积、高度和地面材料。这些与示范阵形、进出场和运动线路的布局有关。特别是地面材料会影响摩擦力和地面反作用力等问题, 在起跳和落地等操作过程中限制身体的运动和威力, 或者异常增大威力。

其次, 影响观众体验的因素包括观看高度和示范的位置以及与观众看台的距离, 这些与观众的视线有关。示范场地的条件对观众体验具有重要影响, 并对示范的内容构成、节目的运作和实际示范产生决定性的影响。

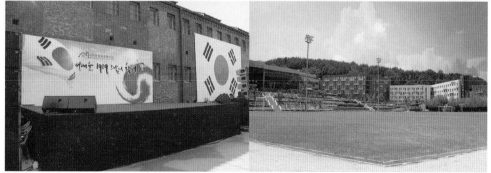

室内表演厅, 大型综合体育馆, 户外永久舞台, 户外运动场

(5) 击破物体

这指的是实际用于击破的物体, 它作为衡量跆拳道技术的威力和水平的标准。在跆拳道示范中, 根据所应用的技术, 使用不同的材料作为击破的目标物体。通常, 采用坚硬和强固的材料进行威力击破, 如松木板、瓦片、砖块、大理石和冰。击破技术的示范涉及松木板、苹果、气球、托盘或花朵等物体。

随着时间的推移, 使用的物体也逐渐演变。在跆拳道示范的早期阶段, 主要采用厚实的松木板和砖块, 以突出其强大的击破能力、实用性和实际效果。然而, 随后的发展中, 重点更多地转向展示技术, 物体材料也变得更加多样化。特别是在现代, 技术的准确性备受重视, 有时会使用苹果或花朵等物体进行击破。圆形的击破物体通常在庆祝活动中使用, 上面印有相关的庆祝字词。目标物体类型的变化与跆拳道技术的发展密切相关。

在跆拳道示范中常用的击破物体包括

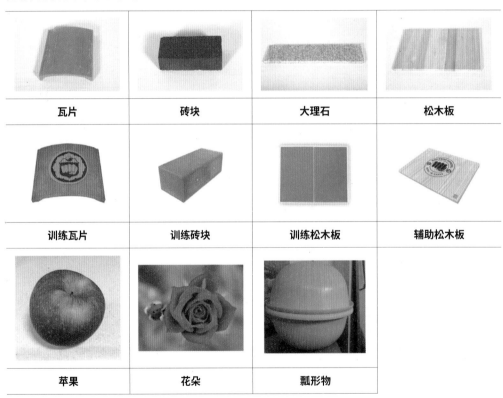

瓦片	砖块	大理石	松木板
训练瓦片	训练砖块	训练松木板	辅助松木板
苹果	花朵	瓢形物	

(6) 其他道具

其他用于跆拳道示范的道具包括音乐、声效、灯光、服装以及辅助击破的工具。早期的示范并没有使用这些道具，但随着示范内容与时俱进的变化，它们也逐渐出现。

音乐和声效用于整个示范过程。有时会使用预先编排的音乐或声效。为了增强视觉效果，还会运用灯光和服装。此外，随着技术击破在跆拳道示范中的出现，各种带有跳跃动作的空中击破方式也变得流行起来，相应的辅助道具也随之发展。

早期的跆拳道示范使用传统道服。20世纪80年代，随着更多比赛的举办，传统道服改为了更容易穿着的V领道服。尽管现有的道服方便进行活动，但近年来专门为示范而改制的道服变得越来越受欢迎。

早期的跆拳道示范过于单调，强调其武术性质。随着时代的变迁，示范文化能够复兴，旨是因为在功能上，示范不仅能够推广跆拳道，而且紧贴观众需求和期望，不断创新和发展，推出了许多富有趣味性和观赏性的示范形式。因此，使用的道具和辅助击破工具也变得多种多样。近年来，跆拳道示范更注重表演性，引入了音乐、声效、灯光、服装以及各种辅助击破工具，突出了示范作为表演艺术的一面。

跆拳道示范的道具：

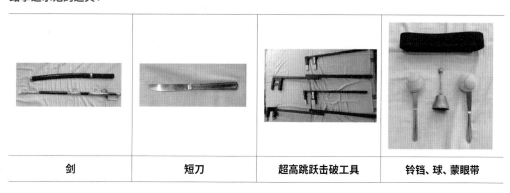

| 剑 | 短刀 | 超高跳跃击破工具 | 铃铛、球、蒙眼带 |

跆拳道示范与道服

早期 (二十世纪六七十年代)	中期 (二十世纪八九十年代)	现代
资料：跆拳道院		
对襟道服	V领道服	普通服装、现代版韩服、改制版跆拳道道服等。

2 — 示范的注意事项

跆拳道示范的注意事项如下：

· 解释示范节目的详细内容和目标。

· 在示范训练前检查示范者的健康状况。

· 根据示范团队的水平确定训练的持续时间、强度和频率。

· 在示范训练之前充分进行热身运动，以优化示范效果，并预防受伤，确保示范安全。

3 示范的类型

1 — 基本动作示范

(1) 冥想

冥想是以正确的姿势慢慢呼吸, 有助于稳定心态和提高注意力的心理和体力训练。呼吸和冥想的目的是将心灵和身体融合在一起, 为了促进这个过程, 会播放冥想背景音乐。冥想的示范强调, 跆拳道不仅是关于包括格挡、踢击、打击和实战在内的身体锻炼, 而且还是一种涉及对心灵和精神的控制的心理锻炼。

通常在示范节目的开头安排冥想环节。在冥想中, 示范者盘腿坐或跪坐, 放松身体, 专注于呼吸, 并慢慢伸展身体, 同时放松心灵。最好在背景音乐中进行冥想。一种受欢迎的选择是伴有古乐器 (包括奚琴、大笒、伽倻琴和玄琴在内的韩国传统乐器) 的特别冥想音乐。

国技院示范团冥想示范现场

<冥想示范构成示例>

· 舞台上熄灯, 观众入座

· 播放冥想音乐 (风声: 金英东作曲), 舞台幕布缓缓升起

· 舞台上的灯光变得更明亮

· 所有示范团员盘腿坐在一个长方形的阵形中, 面向前方

· 坐着冥想20秒后, 队员们开始随音乐做伸展运动

· 在歌曲即将结束前15秒停止伸展, 并回到冥想姿势

· 舞台灯光变暗, 闭幕

冥想示范的阵形可以根据参与者人数和导演希望传达的内容做不同的安排。以下是两个示意图。

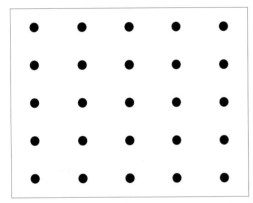 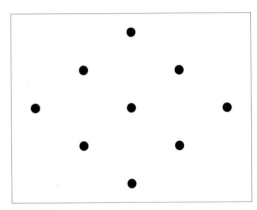

示例) 冥想示范的阵形

(2) 基本动作

基本动作示范以个人或团队的形式展示跆拳道的基本动作。它通常在非专业化的示范中进行, 例如道场 (跆拳道馆), 通过限制动作的数量强调精确性和一致性。

随着示范越来越专业化, 基本动作示范往往被省略, 因为示范更加注重特定的技术。然而, 它仍然是向首次接触跆拳道或进行大规模团体示范的人介绍跆拳道基础的重要部分。此外, 在涉及初学者的示范中, 比如在道场进行的示范中, 它由简单的动作组成, 通常在示范开始和结束之前或击破前进行。

基本动作示范由大约10个以基本跆拳道动作为中心的动作组成, 以下是一些示例。

<基本动作示范构成示例>

弓步下段格挡 → 冲拳 → 后弓步手刀内击打 → 弓步燕手刀内击打 → 手刀下格挡 → 最后是中段上段冲拳并发出声音 → 退场

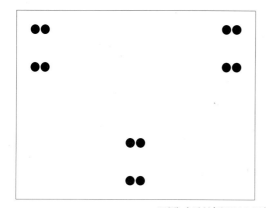 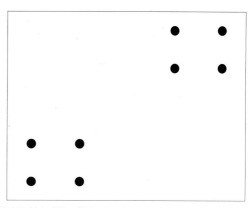

示例) 击破前/后以及入场/退场的基本动作示范阵形

(3) 联合动作示范

联合动作示范结合了基本动作的各个方面, 并自然地将格挡、踢击、冲拳、击打和刺击等攻防形式融入到运动线路中。它要求在目标上具备速度、威力和准确性, 并通过规范的姿势展示统一性。

通过以跆拳道的基本动作为基础编排动作, 可以轻松控制联合动作示范的难度, 同时也能表达跆拳道的精髓。通常将联合动作示范放置在示范节目的开头, 以引起观众对跆拳道的兴趣, 但有时也会将其放置在整个团队一起示范的收尾阶段。

联合动作示范要求准确地呈现跆拳道动作。所有参与者以统一的方式运动的动态外观能有效增强观众对示范者技能的感知。

联合动作示范构成示例

一. 手部动作

左右两次冲拳 → 左右两次下段格挡 → 左右两次中段格挡 → 左右两次上段格挡 → 左右两次下段手刀格挡 → 左右两次中段手刀格挡 → 左右左三次中段冲拳 → 右上段冲拳, 同时发出声音

二. 脚部动作

左右两次正上踢 → 左右两次横踢 → 左右两次侧踢 → 左右两次后旋踢 → 左右两次腾空前踢 → 中段冲拳, 同时发出声音

三. 结合手部动作和脚部动作, 按照前、后、左、右的顺序组织运动方向。

在联合动作示范期间, 可以采取多种阵形。以下是联合动作示范的一个示例形式。

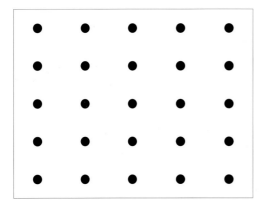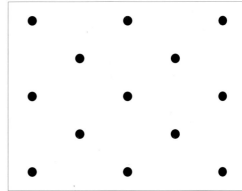

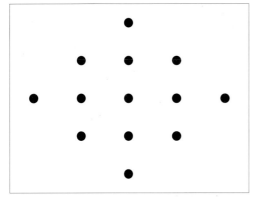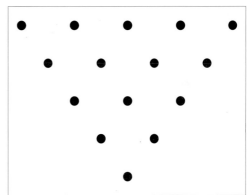

示例）联合动作示范的阵形

2 — 品势示范

品势示范包括标准公认的品势和强调原创性和独特性的创作品势。品势示范和谐地展现内在能量和外在风格, 介绍了跆拳道独特动作的美感。

大多数示范节目将品势示范安排在中间, 以便能够控制整体流程, 通常分别进行公认品势和创作品势的示范。公认品势可以平息紧张而激动的氛围, 而创作品势示范则通过展示花样动作并吸引观众来活跃气氛。

品势示范可以根据目的和情况采取不同形式。例如, 男女混合的双人形式 (混合双人)、人数较少的其他形式, 以及人数较多的团体品势。使用音乐也是一种选择。

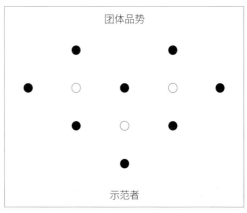

示例) 根据双人和团队组织品势示范的舞台

(1) 公认品势

在公认品势中, 动作的精确性基于重心的移动、威力的坚固和柔和、速度以及呼吸和动作之间的同步。特别是作为团体进行的公认品势示范, 能够呈现出统一的动作和变换阵形的壮观场面。

(2) 创作品势

创作品势的目的在于弥补公认品势的不足之处。公认品势未能充分展示踢腿动作, 而踢腿动作是跆拳道技术的核心和精髓所在。创作品势通过积极而创新地重新构思现有的跆拳道动作, 呈现出全新的表达形式, 包括跆拳舞 (跆拳操) 示范和自由品势示范。

跆拳舞是跆拳舞专家整体表演的一部分, 它属于一种以表演性质为主的示范形式, 与一般示范有所不同。随着跆拳道品势的艺术化发展, 跆拳舞以声音和灯光效果呈现舞台化的动作, 具备艺术舞蹈的特点。

自由品势以各种踢腿和手部动作为特色, 同时结合音乐进行高水平的杂技表演, 吸引观众目光。近年来, 自由品势已成为跆拳道品势比赛的正式项目, 其独特而吸引人的内容引起了广泛关注。

自由品势

跆拳舞

3 — 击破示范

击破示范需要集中心思和威力, 并通过内心、威力和技术的结合来展示击破的美感。通过身心的统一, 这种示范可呈现跆拳道的实际威力和技术, 以及通过身心统一挑战和克服人类威力和技术的局限性的坚定信念。

随着近年来以击破为中心的跆拳道比赛的出现, 跆拳道中击破的价值正在得到重新评估, 击破技术正在快速发展。击破示范主要分为威力击破和技术击破两种类型。

(1) 威力击破

威力击破示范涉及使用身体关节的末端, 尤其是手和脚, 如拳头、手刀、手尖、臂肘、脚趾和后脚掌, 通过将能量和威力集中在一个相对较小的区域来进行打击。目标是展示跆拳道蕴含的威力。

当跆拳道技术还处于初级阶段时, 威力击破就被用来展示其威力和破坏力。后来, 随着跆拳道技术的系统发展, 示范更多地侧重于技术击破, 威力击破的受欢迎程度下降。然而, 考虑到击破比赛近年来日益红火, 其作用又被重新审视。

在示范节目中, 威力击破在组织上可以分为手部击破、脚部击破、手脚综合击破。此外, 威力击破示范的编排方式有多种, 例如是否涉及辅助者、使用击破架、让示范者站在中间并朝各个方向进行击破、让一个人向特定方向移动并进行击破, 或者让一个团体同时进行击破。

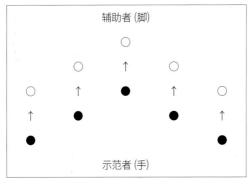
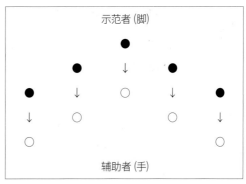

示例）分别组织手部和脚部击破的阵形

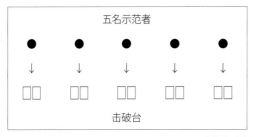
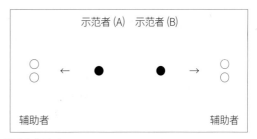

示例）击破台和辅助者的阵形

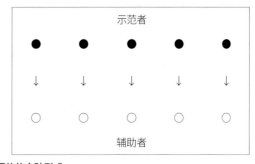

示例）个人和团体的击破形式

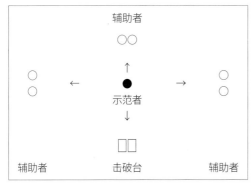
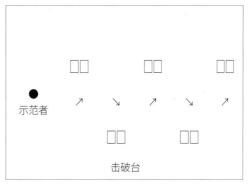

示例）多方向击破形式

(2) 技术击破

　　技术击破运用了各种跆拳道技术, 可以分为跳跃击破和精密击破两种类型。跳跃击破利用跳跃时所获得的空中时间, 通过同时运用手脚进行远踢、高踢和一系列连续的打击动作。

　　为了展示基本的技术击破, 如跳高踢击、跳远踢击、快速踢击, 可以根据示范环境的不同进行各种配置; 此外, 通过将身体推向空中的基本跳跃, 还可以展示垂直和水平旋转击破。

　　跳跃击破涉及高高跳起, 利用人体或人造障碍物, 在飞行过程中改变方向, 或者旋转击打远距离或高处的目标。精密击破的示范则是在蒙着眼睛的情况下, 依靠剩下的感觉如听觉, 打击头顶上的苹果或刀尖上的小目标。

在技术示范中, 为了增强观众的兴趣和期待, 可以从低水平开始, 逐渐提高到高水平动作。示范可以根据目的的不同设计多种方式。可以根据相同类型的踢法进行排列, 也可以根据踢法的难度进行排列, 或者根据舞台空间和时间的限制进行排列。

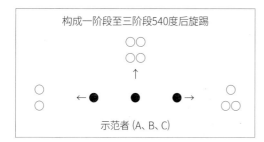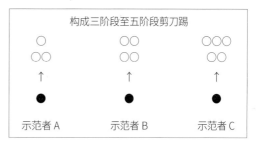

示例) 相同类型踢法的构成方法

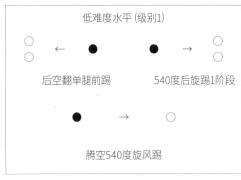

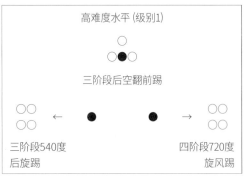

示例) 根据难度水平使用适当的构成方法

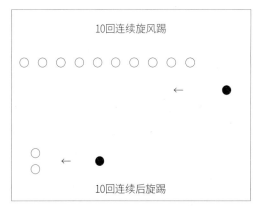

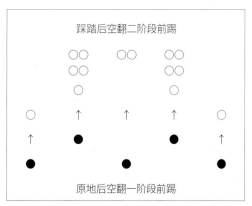

示例) 根据舞台空间和时间使用适当的构成方法

4 __ 实战示范

实战示范分为竞技实战示范和护身约定对练示范。跆拳道竞技实战示范最初是作为一项国际比赛项目的示范, 随着运动的复兴而不断开发出的技术, 人们认识到了示范的重要性。

护身约定对练示范呈现了在各种日常情况下可能用来护身的动作, 可以用一对一或一对多的形式进行。通过互相商定的一组动作, 在一对一、一对多或根据情况完成这些动作。

(1) 竞技实战示范

竞技实战示范与实际比赛方式相同。运动员需要穿戴官方护具等装备, 配有裁判、教练等, 并应用比赛规则。

实际比赛规则被应用于向观众展示一般比赛实战中发生的得分、扣分、警告、注意等情况。因此, 为了说明选手之间的得分和犯规情况, 每个示范者在比赛中扮演的角色是事先安排好的, 并进行充分的训练。

竞技实战示范展示了在真实跆拳道比赛中发生的激烈动作和令人兴奋的场面, 通常安排在整个节目的中间或接近结束处。

(2) 护身约定对练示范

护身约定对练展示了应对紧急情况 (如意外暴力) 的技能和技术。示范包括通过跆拳道训练可以学到的动作, 如格挡、踢击、冲拳、抓、拍、摇、甩、摔和勒, 这些动作被呈现得仿佛是在实际的战斗情境中一样。

示范包括无器械护身对抗对手的攻击, 以及利用日常携带的物体 (如雨伞、拐杖、围巾) 来制服对手的护身。护身约定对练安排在整个节目的中间。它展示了男女对战使用的护身术, 以增加观众的兴趣和激情。也就是说, 所介绍的技术适用于生理上处于劣势的个体 (如女性), 以简单、快速和有效的方式来防御和攻击, 对抗欺凌或骚扰。

护身约定对练的构成

一. 一对一约定护身对练

在约定护身对练示范中, 示范者的角色被分为A和B, A扮演受到攻击并压制B的攻击的角色 (第一部分)。之后, 角色互换, B成为主角并压制A (第二部分)。为了表现各种情况, 可以在第一部分展示以跆拳道手部技巧为重点的护身动作, 而在第二部分展示以跆拳道脚部技巧为中心的动作。

根据示范的规模, 可以设计小型或中型的示范阵形。相关示例如下图所示。

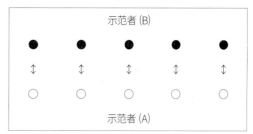

示例) 一对一约定护身对练示范的阵形

二. 一对多约定护身对练

以一对多的方式展示约定护身对练扩大了攻击和防御的范围, 开拓了它们发生的方向, 并从任意方向扩展了攻击和防御的表现范围。此外, 设置合理的情节也很关键。例如, 主要角色通常包括一个女性或外表相对虚弱的男性, 发现自己处于现实生活中的危险情况, 女性或弱势群体正遭受他人的暴力威胁, 而特定的跆拳道技术被用来应对这些威胁。原则上, 示范中使用的护身技术包括跆拳道动作及其改编版本。然而, 根据情况, 跆拳道动作可以结合使用日常物体 (如雨伞、拐杖和围巾) 来压制对手。在这种以情境为基础的示范中, 示范者必须共同努力, 并通过训练提高自己的熟练程度。下图显示了根据参与者数量或故事结构可以组成的一对多示范阵形的示例。

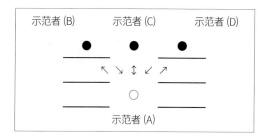

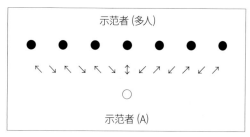

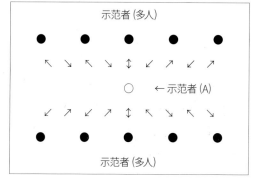

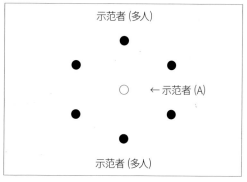

示例) 一对多约定护身对练示范的阵形

5 — 跆拳操示范

跆拳操被视为一种新型的跆拳道训练方法, 旨在根据现代人的口味引起各个年龄段的兴趣和参与。它包含各种舞蹈动作, 配以欢快的音乐, 包括有氧舞蹈、嘻哈舞和爵士舞。

跆拳操的出现使跆拳道展现了一种新的促进健康、自我表达和提高生活质量的方面, 超越了其传统形象, 不再只是基于武术或一种竞技体育赛事的自律护身。因此, 跆拳操成为跆拳道示范的一个独特领域。

跆拳操在整个示范节目的中间阶段进行, 提供视觉上的变化, 并引发观众的反应, 以创造观众参与的氛围。在跆拳操的示范中, 根据参与者的年龄、健康水平和健康状况调整运动的持续时间、强度和形式。音乐、动作和阵形的组织使得可以进行定期的反复演出。

跆拳操示范设计的示例

· 选择受欢迎或欢快的音乐, 重点是引起参与者的兴趣和持续参与。

· 在选择音乐时考虑节奏、风格、歌词和音乐编辑 (伴奏、混音)。

· 安排适当比例的跆拳道技术、体操和舞蹈动作。

· 确定运动的线路并在阵形变化中适当使用对称性和非对称性。

· 考虑参与者的年龄、训练时间和技能水平, 以设计运动、阵形和难度。

· 使用与节拍相匹配的跆拳道动作和舞蹈动作, 引发观众的参与和兴趣。

· 根据要传达的故事来组织跆拳操。

· 根据音乐风格考虑面部表情的变化。

· 尝试使用服装和道具上的变化。

· 通过发型和化妆传达编舞作品的故事。

· 通过最后的结束动作在视觉上表达作品的含义。

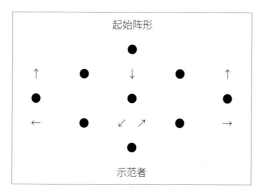

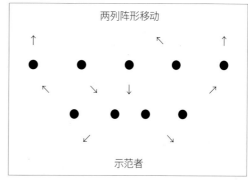

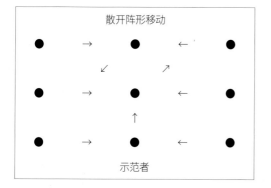

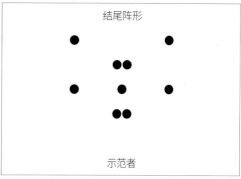

示例) 跆拳操的矩形移动

4 示范的训练

1 — 个人训练

个人示范技术的训练包括基本技能, 如基本动作和踢法, 以及专门技能的开发和磨练, 以提高每个示范者的特长。特别强调发展和掌握特殊技能, 从而提高整个示范团体的整体技能水平和每个示范者的示范水平。

基本技能的示范, 如基本动作, 旨在呈现跆拳道的基本功, 因此呈现准确的姿势和出色的动作非常重要。因此, 个人基本动作的训练应该注重正确的姿势和重心的移动。为了达到这个目标, 需要反复训练, 并根据观众的观看位置调整动作的表达和幅度。

在练习基本踢法和基本动作等基本技术时, 使用杆杠或平衡木有助于保持平衡和稳定。在使用杆杠进行基本踢法的练习时, 修炼者应首先用双手握住杆杠, 然后做动作。随着训练的进行, 握住的区域应逐渐减小, 逐步减少对杆杠的依赖。对于成对的团体训练也适用相同的原则。

在个人技术训练中, 根据每个人的水平进行逐步的训练至关重要。击破技术的训练从低水平开始, 逐渐提高到更高水平。例如, 击打训练从较低位置的目标逐渐过渡到较高位置的目标, 从单个目标到多个目标, 或者从一个方向到多个方向。

对于技术训练, 应设计根据个人水平的定制化训练计划。特别是对于典型示范练习中包含的一般技术项目, 必须根据1至4级别进行特殊技能训练的差异化, 并根据各自的水平分配给每个成员。这种系统化的方法使示范者能够有目的地自己练习这些技能。

在这种情况下, 有两种类型的训练, 团体训练和个人训练; 当两种方法正确混合和使用时, 训练效果最佳。首先, 所有示范者聚集在一起理解讲解, 并配置一个示范, 然后协调和纠正自己的动作。接下来, 进行个人或团体训练, 如成对训练, 通过示范者之间的合作活动来纠正和补充动作, 然后所有示范者再次聚集进行团体训练。

2 — 团体训练

团体技术训练是一种将个人技术训练中掌握的技术结合并融入到整体示范框架中的训练方法, 以协调一致为目标。

团体技术训练的第一步是评估每位示范者的水平和能力, 确定其专业技能将被整合到示范的哪个部分, 然后相应地进行训练。与个人技术训练一样, 团体技术训练中的数量和质量也应逐渐提高。例如, 可以通过合作和变化的方式, 从个体技能的示范训练过渡到团体示范训练, 从简单到复杂的示范训练, 或者从小规模到大规模的示范训练。

团体训练可以采用两种方法: 团体技术训练和大规模训练。团体技术训练包括基本动作和示范, 例如品势 (公认品势、创作品势、跆拳操), 涉及整个示范团体或协调个别示范, 展示准确和同步的动作, 通过变化展示多样性, 以及和谐平衡的动作。在这种训练中, 通过个人训练学到的精确动作被同步进行并一起示范, 需要重复练习以确保示范者之间的动作一致性。

在基本动作或品势等团体技术的示范中, 整个团体通常会组成一个阵形并进行反复练习。示范团体通常会自行组织并独立练习示范节目的内容, 例如基本的联合动作、品势或跆拳操。在这个时候, 如果为每个节目创建专门的团体和练习, 训练效果会更好。

在基本动作和传统品势等示范中, 示范者在各自的位置上行动, 重点是示范者之间动作的准确性和同步性。在这样的示范中, 重要的是确保每个动作在示范者之间的起点和终点相同, 这样观众就可以观察到手和脚的高度、动作的规模以及起始和结束的一致性。

为了使动作一致, 一种有效的训练方法是让示范者通过反复练习学习整个动作的流程, 然后彼此沟通。这种训练可以使示范的动作同步进行。此外, 其中一位示范者可以用一个低调的声音向团体发出信号, 进一步统一动作。

阵形的选择取决于技术击破的类型。阵形练习主要根据技术的形式进行个别的阵形练习。基于示范节目, 阵形练习涉及单一的击破或结合两种或三种击破的组合击破。

单一的阵形练习可以作为典型示范节目的组成部分进行练习, 为每个参与者分配特定的角色, 使其在每个组合中有特定的任务, 这是非常有效的方法。例如, 在跳跃击破组合中, 可以将角色分为支撑者、踩踏者、辅助者和击破物体持有者。

组合击破的练习包括设置组合之间的配置点和按照运动线路构建组合。这需要示范者对整个节目中的角色有所了解, 并在每个组合中进行合作, 以实现高效及和谐。

在示范中, 示范组合应该根据舞台的大小和形状来组织, 使舞台既不显得空旷, 也不显得过于拥挤。在大舞台上可以配置多个组合, 而在小舞台上需要注意不要过度拥挤。此外, 示范应以观众的便利和观赏的舒适度为重点进行组织, 这就需要最佳地利用空间。

4

示范的编

1 示范计划和实施

1 — 准备阶段

负责准备和实施示范的制作人 (导演、策划人) 需要确保在所有阶段做好周到的准备工作, 包括组织和培训示范团体、设计示范方案以及准备击破物体和道具。因此, 示范的整个过程可以分为四个阶段: 准备、策划、实施和组织。

在准备阶段, 即使没有具体的示范时间表或计划, 也要组建示范团体。根据各自的标准, 准备个人和团体所需的各种身体、技能和心理因素。这个阶段包括体力训练、个人技术的发展和团体训练, 直到示范实际开始前结束。

负责监督示范团体的制作人 (导演、策划人) 必须采取以下措施, 以有效地管理示范团体并提高示范能力。首先, 在事先检查参与示范的个人和团体的身体素质和技能水平后, 应准备具体的培训计划, 如个人和团体训练方案。此外, 培训的数量和质量应逐步、系统地设计。

体力训练侧重于影响示范所需的肌肉威力、耐力、敏捷性、柔韧性和平衡等因素。训练计划应该能够在专业训练环境 (如训练营) 以及其他场所 (如跆拳道馆) 能够轻松进行。

个人技术训练包括增强和完善个人特殊技术以及跆拳道基本功能的训练。在这个过程中, 培训计划的应用需循序渐进, 从较低的难度水平开始, 并根据个人的技能水平逐渐增加, 以确保安全训练。

在团体技术训练中, 个人的示范能力要在整体框架中得到和谐地整合。因此, 这种训练需要深入了解每个人的水平和能力, 并将其完全体现在示范中。

团体示范练习通过个人技能的组合和转化来配置。在团体技术示范中, 重点应放在准确、一致及和谐地表达基本动作、品势和跆拳操上。因此, 需要进行反复训练, 以确保示范者之间的动作规模、起止点的匹配, 确定通过示范者之间的沟通来指导整个动作流程的方法。

针对击破模式 (设置) 的训练, 参与者还需要在每个模式中共享具体的角色 (支撑角色、辅助角色和握持物体用于击破的角色)。一个击破模式如果在舞台、动作、跳跃、飞行、飞行距离和物体击破的角度等方面构建得自然、坚实和稳定, 将更便于演示, 同时考虑观看的便捷性和观众的安全。

在训练时间的规划中, 应考虑每种训练内容和时间分配。基本上, 包括体力训练、技术训练以及编排和示范套路的训练, 都会分配一定的时间段进行练习。例如, 每天总共120分钟的训练时间可以安排为10分钟的热身运动、40分钟的普通技术训练、15分钟的套路训练、20分钟的个人训练、25分钟的体力训练和10分钟的放松运动。

在准备阶段, 为了提高示范团体的运作效率和训练效果, 需要分配各种角色, 例如整体指导和节目设计、训练、管理击破物体等道具以及财务管理等。将角色划分为不同部分, 具有一定的优势。尤其是对于缺乏专业示范人员的跆拳道馆, 可以通过让经过长时间训练、具备能力和领导力的修炼者负责基本示范训练, 如基本动作和击破物体管理, 以获得更好的效果。

2 — 策划阶段

策划阶段涉及对实际示范的全面策划。这是在接到示范请求后立即进行的阶段, 期间将全面准备示范活动。

从负责示范的监督者和策划者的角度来看, 准备工作可以分为四个阶段。首先, 在与请求示范的客户进行面谈时, 讨论示范的目的、时间表、程序、地点和其他事项, 包括确定是否进行示范。其次, 勘察示范场所, 确定观众位置和场地类型。第三, 根据与客户的面谈和对示范场所的勘察, 制定示范节目。第四, 根据经批准的试点方案进行最后的准备和确认。

(1) 与示范委托人面谈

在与客户进行面谈时, 需要确定示范的目的、性质、观众、时间和地点等具体细节。这些是决定如何编排示范内容以及是否进行示范的重要因素。请核查和确认以下细节。

示范目的

为了确定示范的内容, 重要的是考虑示范是旨在推广跆拳道技术和精神, 还是通过融入跆拳道来为特定的活动增添色彩。无论哪种情况, 都对跆拳道有推广作用。然而, 当目的是通过呈现跆拳道来提升一般事件关注度时, 需要灵活思考, 在规划示范内容时反映活动主办方的意见。

活动的性质

必须考虑活动的性质, 以确认跆拳道示范是主要内容还是整个活动的衬托元素。当跆拳道示范是整个活动的一部分时, 需要组织示范内容, 使其在活动期间与其他表演有所区别, 同时要能够服务于活动的总体目标。

观众信息

需要确定观看示范的观众的知识水平、信息、经验, 以及其背景和倾向等信息, 以便根据情况调整示范的内容和难度。

示范的持续时间和时间安排

确定示范是作为一次性示范还是在特定时间段内多次呈现相同内容的演出型示范非常重要。此外, 需要确认示范将在何时举行, 以确定是否使用灯光, 并确定示范的时长。

示范的地点

事先应确定示范场地和示范区域。接下来, 根据距离和时间制定交通方式和交通工具的准备工作。选择地点时应综合考虑场地概况和观众位置, 并作现场的初步勘察以进行确认。

(2) 对示范场地的勘察

根据与客户的面谈所确定的示范目的、活动性质、观众、时间和场地等信息, 有必要对示范场地进行初步勘察。除了示范团体的交通运输之外, 还需要确定观众在场地上的位置以及示范将在何种类型的空间中进行, 以及以下有关示范期间示范者的行动线和位置的事项。

示范场地的位置

应确认有关示范场地的信息。这对于估计示范团体前往场地的方式以及所需时间至关重要。

观众的位置和距离

根据观众在场地上的位置来确定观看角度, 有助于确认观众是俯视、仰视还是平视。在选择示范场地、设置示范和击打方向等方面, 必须考虑观众的位置和距离, 以优化观赏的便利性和安全性。

示范空间的形式

检查示范场地的高度、面积、长度、总体面积和地板材料的摩擦力和弹性水平。这些信息对于确定空间的利用非常重要, 例如设置移动线路、跳跃距离、飞行距离和着陆位置, 以及击破动作的打击方向。

(3) 示范节目的组成

开发示范节目需要通过改变、应用和重新解读示范内容的组成和表演等方法来发挥创造力，以使节目能根据示范的目的、观众、时间和地点进行专业化和多样化的展示。

首先，开发一个具有叙述流程感的示范节目，包括陈述、发展、转折和结尾。

其次，在整个节目中应用跆拳道技术，可以选择一个主题或故事，而不是简单地展示技术。

第三，确保内容适合各个示范者和整个团体的水平和能力，并避免粗俗、幼稚或令人讨厌的内容。

第四，在给观众谢幕时准备一个持续3分钟的核心示范。

(4) 示范准备

这是基于确认的示范节目，是准备的最后阶段。根据对整体示范节目的理解，评估相关个人和组织的准备情况和整体准备情况。

首先，要根据每个示范者的角色和对节目整体目标、观众以及节目进行的方式的理解，完成每个示范者的准备工作。

其次，在示范场地进行排练，以了解实际情况并确定可能存在的安全问题。

第三，示范团体必须制定应对天气变化和电力中断导致的技术困难的策略，同时检查场地上是否有残破的物品和遗留的小工具。

第四，应制定替代计划和医疗计划，以备突然缺席或受伤的情况。

第五，应使用总体准备用品的清单。

示范道具清单示例

顺序	示范内容	准备材料	其他
1	冥想	音乐CD, 计算机系统, 背景	备用U盘 音乐文件 麦克风系统
2	三种三阶段击破	9块松木板	11名击破辅助者 7块备用松木板
3	跆拳操	音乐（U盘） 壁纸 服装	备用音乐CD 计算机 3名辅助人员
4	威力击破	4块大松木板 20块大理石板 20块瓦片 3块砖头	8名击破辅助者 固定支架 砖块击破辅助者 击破废物袋

计算机（　）、入场和退场音乐（　）、音乐的U盘文件（　）、移动音响系统（　）、电池（　）、大号击破松木板（　）、中号击破松木板（　）、小号击破松木板（　）、击破用大理石（　）、一朵玫瑰花（　）、一个苹果（　）、急救包（　）、护身用刀（　）、用于空中击破的固定杆（　）、威力击破支架（　）、护身用折扇（　）、跆拳操服装（　）、备用击破物体（　）、击破废物袋（　）、背景音乐CD（　）。

3 — 实施阶段

实施阶段包括在观众面前展示示范, 负责整个示范的导演应该鼓励并增强参与者的信心。同样, 直接参与示范的示范者以及负责音乐和道具的人员必须清楚自己的角色, 以确保相互之间的顺畅沟通。

直接参与示范的示范者应该熟悉整个示范和自己的角色, 与其他示范者合作, 并自信地表演。作为示范的一部分, 参与者应该谨慎行事, 不随意修改内容或角色, 并尽力传达跆拳道的精神和技术。在示范的实施阶段, 应牢记以下事项:

遵守示范的开始和结束时间

遵守示范的开始和结束时间是对客户和观众作出的基本承诺。因此, 示范应该准时开始, 符合要求的目的, 并在特定的时间范围内进行。

指挥者与示范者之间的互动

在进行示范时, 指挥者和示范者应通过持续的沟通解决可能出现的大小问题。此外, 示范者必须通过眼神接触、小手势和身体动作之间的相互沟通, 确保示范的顺利和安全进行。

观众和示范者的安全

在示范过程中可能会出现意外的安全问题。特别是在空中和落地动作期间, 以及当打破的物体飞过看台上方或观众直接参与示范时, 预防受伤非常重要。确保立即采取应对事故的措施。

在观众互动环节, 应考虑观众的水平

即使在不同的示范中使用相同的内容, 也应提前检查观众的反应, 以便根据其年龄、水平和理解力调整、应用和利用内容, 激发其兴趣。

针对每个示范情况使用检查清单

针对每个示范情况, 创建一个检查清单, 并确保按照计划和准备执行。

根据不同情况实施示范的检查清单

顺序	示范内容	示范者	持续时间	道具	检查点
1	冥想、联合动作	所有人	2分10秒	经编辑的音乐CD、U盘	- 检查壁纸 - 检查示范开始时音乐播放的时间点
2	创作品势	李大斌和其他5人	1分50秒	现代版蓝红色韩服	- 检查服装和声效 - 确认与联合动作的连接
3	击破头顶上的苹果/易拉罐	洪吉洞、金班瑞、李正承	1分10秒	3个苹果、2个空罐子、1个蒙眼带	- 检查备用的击破物体 - 确认音乐效果准备情况 - 连接动作,准备姿势
4	踩踏击破	李承焕、赵勇斌、金洙路	1分10秒	9块松木板	- 检查一套动作的构成 - 检查落地垫
5	跆拳操	崔柳里和其他9人	2分10秒	音乐CD、U盘、跆拳操服装	- 快速换装 - 确认清除击破物体的碎片 - 确保示范者靓丽的面部表情
6	三种类型的三阶段击破	李在国、郑国模、安在赞	1分10秒	9块松木板	- 确定击破成套动作的位置 - 确保击破动作的连贯性
7	踩踏后空翻前踢、10回连续后旋踢、540度后旋踢击破	李承勋、金斗翰	1分	14块松木板、固定杆	- 杆和备用杆 - 10回连续击破:示范者和辅助者之间配合的时机很重要(预先检查)
8	威力击破	郑胜桓、林钟武	1分	6块松木板(大)、20块瓦片、2块砖头	- 快速设置击破物体 - 保持强壮的形象 - 确保撞击击破物体产生的视觉冲击力 - 威力击破后清理击破物体产生的碎片

9	联合动作和踩踏后空翻二阶段前踢	所有人	1分30秒	音乐CD、U盘、4块松木板、人工花、固定杆	- 清理击破物体产生的碎片 - 确认联合动作后是障碍物的击破 - 检查人工花的状态 - 检查示范后清理情况

4 — 收尾阶段

示范完成后, 进入收尾阶段, 包括清理和评估结果。以下是该阶段的步骤: 清理击破物体、道具和设备; 立即检查示范收尾后示范者的状态; 现场组织, 包括对整个示范的现场评估; 评估从训练到实施的各个阶段; 呈现补充节目; 收集意见和建议; 收集数据; 最后是收尾后的工作。

(1) 现场收尾工作

示范场地的清理

示范者清理在示范现场使用的击破物体、道具和其他设备。特别是示范中使用的击破物体应在示范收尾后收集和清理, 以保持现场清洁。

安全验证

示范收尾后立即检查示范者是否在示范过程中受伤。

示范表现评估

示范后, 根据对个别节目的评估, 对所有参与者的整体进展和示范结果进行简要评估, 评估内容应参照示范的目的。

安全回家

示范结束后确认团员们是否安全回家。

(2) 收尾后工作

从训练到实施阶段的评估

　　针对从准备、策划、执行到清理的整个过程, 评估是否根据示范的目的准确地完成了每个流程。进一步识别任何不足之处。

提出补充节目和培训建议

　　评估在实施阶段观众的反应和反馈, 以及示范后客户的反馈 (满意度)。根据这些评估结果, 制定补充培训计划, 并将其应用于个人和团体培训。

收集示范者的意见和建议

　　召集示范团体的总体会议, 收集示范者对整个过程 (从练习到示范实施) 的意见和建议。将它们应用于随后的示范。

数据收集和整理

　　示范节目 (详细节目、检查清单等) 和示范视频剪辑应进行整理和记录。此外, 示范后在地方媒体和广播中介绍的内容应转化为数据并进行归档。

2 示范节目的编排

1 __ 小规模示范（室内/室外）

(1) 小规模示范——室内

① 示范类型: 道场 (跆拳道馆) 的道带考试、婚礼、会议、中学和高中节日等。

② 观众对象: 跆拳道修炼者、家长和普通观众

③ 地点: 某跆拳道馆室内舞台

④ 持续时间: 10 - 15分钟

⑤ 示范者: 20 - 25名跆拳道示范团队成员

⑥ 示范道具: 松木板、跆拳操服装、音乐CD (用于冥想和跆拳操)

⑦ 注意:

　- 在示范之前检查示范场地的情况。

　- 遵守示范时间。

　- 注意行动线路, 因为空间可能较为狭窄。

　- 确保进行彩排。

　- 由于是封闭空间, 音乐的音量应相应调整。

　- 注意不要让碎片击中观众。

　- 检查地板的状态, 确保安全着地。

　- 示范节目的内容必须根据示范的目的、示范团体的构成和观众进行组织。

　- 必须实施好观众的参与或体验示范环节, 以增强对跆拳道的印象。

　- 避免使示范过于嬉戏, 但可以在小规模的跆拳道馆活动中增加乐趣和愉悦的元素。

　- 确保观众能够听到口令和声音。

示范节目构成方法的示例

奥林匹克跆拳道馆示范计划 (建议)

1. 示范概述

奥林匹克跆拳道馆每个月的月末会进行一个以击破为重点的示范, 旨在帮助修炼者建立信心。

2. 观众

观众预计为一些修炼者及其家人。

3. 观众对跆拳道的认知

观众由跆拳道修炼者及其家人组成, 旨在提高修炼者的信心并为提高其跆拳道技能设定新目标。有趣且难度较低的示范是提高修炼者信心的最佳方式。

4. 示范地点和环境

作为示范场地的奥林匹克跆拳道馆空间狭小, 天花板较低, 因此必须注意行动线路。

5. 示范时间

2021年1月25日 (星期五) 下午6点。

整个示范持续13分钟。

6. 示范团队的构成

奥林匹克跆拳道馆的15名修炼者及其家人等。

7. 其他注意事项

需要进行音响系统测试和彩排。需要确认示范者家人的参与情况。

奥林匹克跆拳道馆道带考试的示范节目

示范日期: 2019年10月25日 (星期五)

示范者人数: 15人　　　示范时间: 13分钟

地点: 奥林匹克跆拳道馆

顺序	示范内容	持续时间
1	冥想	30秒
2	联合动作	1分30秒
3	手部威力击破	30秒
4	基本踢击击破	30秒
5	1) 女子垂直后旋踢击破 2) 女子双飞踢击破 3) 女子垂直横踢击破	1分
6	女子快速一列踢击破	30秒
7	创作品势	30秒
8	1) 团体腾空前踢击破 2) 团体跨越辅助者侧踢击破	30秒
9	一对一约定护身对练	30秒
10	三阶段腾空前踢击破	30秒
11	1) 前踢的柔韧性 2) 横踢的柔韧性	1分
12	团体腾空后旋踢击破	30秒
13	团体踩踏辅助者后背前踢击破	1分
14	音乐品势	1分
15	家人参与示范	3分

奥林匹克跆拳道馆道带考试详细的示范节目

顺序	示范内容	描述
1	冥想	- 整个团队盘腿坐下冥想 - 播放轻柔的冥想音乐
2	联合动作	- 在同一位置开始动作 - 按前、后、左、右的方向进行移动 - 作为一个整体移动
3	手部威力击破	- 敲打地板上的击破支架 - 按照拳头、手刀、手刀背、臂肘的顺序进行击破 - 以多米诺骨牌形式进行击破 - 注意避免受伤
4	基本踢击击破	- 按照前踢、横踢、后旋踢和旋风踢的顺序进行 - 从低难度到高难度进行击破 - 注意形式的安排, 以便给观众呈现令人印象深刻的场面
5	1) 女子垂直后旋踢击破 2) 女子双飞踢击破 3) 女子垂直横踢击破	- 在舞台两端进行垂直后旋踢和垂直横踢的击破 - 按照垂直后旋踢、横踢、双飞踢、后旋踢和旋风踢的顺序进行击破 - 在进行垂直后旋踢、垂直横踢的击破后, 停留在同一位置等待 - 最后, 进行双飞踢、后旋踢、旋风踢的击破
6	女子快速一列踢击破	- 女子示范者连续进行速度击破, 增强速度感
7	创作品势	- 整个团队以统一而克制的方式进行高水平的动作
8	1) 团体腾空前踢击破 2) 团体跨越辅助者侧踢	- 以较短的时间间隔连续击打 - 腾空前踢击破, 示范者弯腰充当障碍物 - 检查击破物体的飞行方向
9	一对一约定护身对练	- 动态展示面对攻击者的情景
10	三阶段腾空前踢击破	- 设置的阵形就应使观众能够看到击破瞬间
11	1) 前踢的柔韧性 2) 横踢的柔韧性	- 包括一名具有高度柔韧性的女子示范者 - 将脚抬起以突显柔韧性 - 先进行前踢, 然后进行横踢的击破
12	团体腾空后旋踢击破	- 设置的阵形就应使观众能够看到击破瞬间 - 击破后退出场地
13	团体踩踏辅助者后背前踢击破	- 以多米诺骨牌的形式进行击破 - 让肌肉威力强的高年级学生充当踩踏的障碍物

| 14 | 音乐品势 | - 基于在跆拳道馆使用的音乐品势进行连贯的动作展示
- 营造愉快和欢快的氛围 |
| 15 | 家人参与示范 | - 让观众参与的示范
- 让其学习简单的跆拳道动作, 然后随着音乐做跆拳操
- 在跆拳操中, 包括重复进行的格挡、拳击、击打、前踢和步伐动作
- 为参与者准备小礼物或纪念品 |

(2) 小规模示范——室外

① 示范目的: 吸引观众的注意力, 吸引聚集在大学节日、体育比赛、校友会等活动中的观众。

② 观众对象: 跆拳道修炼者、家长和普通观众

③ 场地: 户外永久舞台、棒球场或操场

④ 示范时长: 15-20分钟

⑤ 示范者: 20名跆拳道示范团队成员

⑥ 示范道具: 松木板、杆子、蒙眼带、铃铛、跆拳道服装、音乐CD (用于冥想和跆拳操)

⑦ 注意事项

- 了解户外示范场地的情况。

- 检查示范场地的地面状况, 为动作、跳跃和着陆做准备。

- 由于是户外活动, 还要注意天气情况。

- 由于是在开放空间中进行示范, 请注意音量的控制。

- 遵守示范时间安排。

- 进行彩排, 分配位置并验证示范中的移动路径。

- 由于示范是在开放区域进行的, 请确保示范者的注意力集中。

- 注意不要让打碎的物体碎片飞入观众席。

- 确保示范团体的入场、退场和示范过程有足够的空间。

- 环境中可能存在外部阻力, 如风和噪音, 要有所意识并做好准备。

- 提前检查电子设备的状态。

- 准备应对停电情况。

- 检查音响CD、U盘、麦克风系统等设备。

- 在示范期间要注意舞台之外的行为, 因为所有区域都会暴露在观众面前。

- 安排示范节目时, 尽量使每个人都能得到享受和愉快的体验。

- 确保观众能清晰听到示范者的口令和声音。

示范节目设计的示例

某大学迎新典礼示范计划 (建议)

1. 示范概述

某大学每年三月初都会举办迎新典礼, 以才艺表演、娱乐活动和庆祝演出来欢庆新生的到来, 时间安排在20XX年XX月XX日。新生和在校学生都可以参加。

2. 观众

观众主要包括某大学的新生和在校学生、教职员工以及庆祝演出团体。

3. 观众对跆拳道的认知

某大学的学生是主要观众群体, 学生们对跆拳道示范抱有较高期望, 因为通常难得看到这种示范; 此外, 还有其他的娱乐节目和游戏。示范最好要做到有趣味, 并与节日气氛相契合。

4. 示范地点和环境

示范场地是某大学体育场的移动舞台, 观众席位于舞台下方。由于这是一个户外舞台, 必须考虑噪音和风的影响, 并检查舞台的地板材料, 以确保示范的安全性。

5. 示范时间

20XX年XX月XX日 (星期XX), 晚上7点

整个示范持续17分钟

6. 示范团队的构成

某大学示范团队 <示范团队中的20名男女示范者>

7. 其他注意事项

根据初步场地勘察, 需要进行灯光和音响系统的测试以及彩排。

某大学迎新典礼的示范节目

示范日期: 20XX年XX月XX日 (星期XX)

示范者人数: 20人　　　　示范时间: 17分钟

地点: 某大学体育场 (移动舞台)

顺序	示范内容	持续时间
1	冥想	30秒
2	联合动作	1分
3	1) 基本手部击破 2) 基本踢击击破	1分
4	1) 腾空前踢击破 2) 腾空侧踢击破 3) 腾空手刀背击破 4) 腾空540度旋风踢击破 5) 腾空冲拳击破	30秒
5	踩踏前踢击破	1分
6	1) 踩踏横踢击破 2) 跨越辅助者落法, 冲拳击破 3) 助跑跨越辅助者, 腾空540度旋风踢击破	30秒
7	1) 五阶段腾空横踢击破 2) 五阶段腾空侧踢击破 3) 五阶段剪刀踢击破	1分
8	踩踏斜空翻前踢击破	30秒
9	创作品势	1分
10	踩踏双脚前踢击破	30秒
11	快速一列踢击破	30秒
12	1) 三阶段540度后旋踢击破 2) 三阶段720度旋风踢击破 3) 三阶段后空翻前踢击破	1分30秒
13	1) 毽子后空翻前踢击破 2) 助跑三阶段腾空540度旋风踢击破	30秒
14	1) 10回连续旋风踢击破 2) 10回连续后旋踢击破	30秒
15	高丽品势	30秒
16	一对一约定护身对练	30秒
17	多方向踢击破	1分30秒
18	1) 投掷苹果后空翻前踢击破 2) 投掷苹果踩踏后空翻前踢击破	30秒
19	1) 踩踏后空翻前踢击破 2) 踩踏对角空翻前踢击破 3) 踩踏对角空翻, 一次旋转, 然后前踢击破	30秒
20	1) 团体后空翻前踢击破 2) 踩踏腾空六阶段前踢击破	30秒
21	跆拳操	1分30秒

某大学迎新典礼的示范节目具体安排

顺序	示范内容	描述
1	冥想	- 整个团队盘腿坐下冥想
2	联合动作	- 整个团队以统一和克制的方式展示包含基本动作的联合动作 - 示范收尾后,团队谢幕并退场
3	1) 基本手部击破 2) 基本踢击击破	- 基本手部击破:使用拳头、锤拳、手刀和臂肘进行击破 - 基本踢击击破:前踢、横踢、后旋踢、后踢、旋风踢 - 完成基本手部击破后,更换辅助者,开始基本踢腿击破
4	1) 腾空前踢击破 2) 腾空侧踢击破 3) 腾空手刀背击破 4) 腾空540度旋风踢击破 5) 腾空冲拳击破	- 所有击破都采用多米诺式 - 连续进行击破,以便观众可以清楚地看到击打的瞬间
5	踩踏前踢击破	- 在阵形的安排上,应使观众能够清楚地看到击打的瞬间
6	1) 踩踏横踢击破 2) 跨越辅助者落法,冲拳击破 3) 助跑跨越辅助者,腾空540度旋风踢击破	- 越过辅助者,背对辅助者做横踢 - 越过辅助者,用拳头击打物体,然后做落法动作 - 越过辅助者,背对辅助者做旋风踢
7	1) 五阶段腾空横踢击破 2) 五阶段腾空侧踢击破 3) 五阶段剪刀踢击破	- 在舞台两侧分别做五阶段腾空横踢和五阶段腾空侧踢 - 面向观众做五阶段剪刀踢击破 - 按照以下顺序进行击破:五阶段腾空横踢、五阶段腾空侧踢、五阶段剪刀踢
8	踩踏斜空翻前踢击破	- 检查舞台天花板的高度 - 用聚光灯突出每组击破动作
9	创作品势	- 整个团队以统一而克制的方式进行高水平的动作 - 示范收尾后,整个团队谢幕并退场
10	踩踏双脚前踢击破	- 检查舞台天花板的高度 - 在创作品势结束后立即进行击破动作
11	快速一列踢击破	- 女子示范者连续进行速度击破,增强速度感
12	1) 三阶段540度后旋踢击破 2) 三阶段720度旋风踢击破 3) 三阶段后空翻前踢击破	- 将三阶段540度和720度旋风踢击破放置在舞台两侧 - 面向看台进行三阶段后空翻前踢 - 按照以下顺序进行击破:三阶段540度、720度、后空翻前踢

13	1) 毽子侧手翻前踢击破	- 逐渐增加难度，允许进行连续击打
	2) 助跑三阶段腾空540度旋风踢击破	
14	1) 10回连续旋风踢击破	- 后旋踢：辅助者从后台跳出 - 连续进行旋风踢和720度动作
	2) 10回连续后旋踢击破	
15	高丽品势	- 6名示范者以三角形的形式配合经过编辑的音乐
16	一对一约定护身对练	- 动态展示面对攻击者的情景
17	多方向踢击破	- 迅速打击被放置在各个方向的击破物体，制造眼花缭乱的效果 - 注意不要让松木板碎片飞向观众区域
18	1) 投掷苹果后空翻前踢击破	- 击中被刀尖刺住或抛在空中的苹果，或者圆形物体 - 检查击破物体的飞行方向
	2) 投掷苹果踩踏后空翻前踢击破	
19	1) 踩踏后空翻前踢击破	- 逐渐增加难度，允许进行连续击打 - 在阵形的安排上，应使观众能够清楚地看到击打的瞬间 - 检查舞台天花板的高度
	2) 踩踏对角空翻前踢击破	
	3) 踩踏对角空翻，一次旋转，然后前踢击破	
20	1) 团体后空翻前踢击破	- 在短时间间隔内进行连续击打 - 每个动作的安排上，应注重表达方式的和谐 - 检查击破物体的飞行方向
	2) 踩踏腾空六阶段前踢击破	
21	跆拳操	- 9名示范者 - 准备背景音乐 - 伴随激动人心的动作进行鼓掌，以引发观众的反应

2 —— 大规模示范 (室内/室外)

(1) 大规模示范——室内

① 示范目的: 在庆祝某大学总统杯跆拳道比赛和国际/世界比赛时推广跆拳道

② 示范观众: 参加某大学总统杯跆拳道比赛的2,000至2,500名运动员、教练和家长

③ 地点: 室内体育馆

④ 示范时长: 15分钟或更短

⑤ 示范者: 某大学跆拳道示范团的30名示范者和5名运动员

⑥ 示范道具: 松木板、音乐CD、椅子、杆、铃铛、蒙眼带、服装

⑦ 注意事项

- 检查示范场地的状况。

- 在示范之前和之后, 检查其他表演或活动的时间表, 以确定入场和退场时间。严格遵守开始和结束时间。

- 参加中型或大型示范的所有示范者都应密切关注示范中的入场、退场、移动等。

- 由于观众从上方观看示范, 所以必须考虑到用于破碎的物体的大小和高度。

- 在开放区域进行示范需要充分的练习, 以保持动作的协调, 始终吸引观众的注意力。

- 考虑破碎物体的飞行方向。

- 鉴于体育馆的噪音水平, 示范必须以一种能够保持观众注意力的方式进行组织。

- 确保观众能够听到口令和声音。

- 在示范之前应测试室内体育馆的音响系统和设施状况。特别是应现场检查示范中使用的伴奏音乐或媒体 (CD、U盘) 的音质状态和回声效果。

- 检查服务外国观众的字幕和翻译系统。

- 尽管场地开放, 但要确保口令和声音能够被观众清楚听到。

示范节目配置的示例

平昌世界跆拳道联欢会示范计划 (建议)

1. 示范概述

平昌世界跆拳道联欢会于20XX年XX月XX日举办, 是一个汇聚世界各地跆拳道爱好者的活动, 活动每年8月末举行, 旨在凝聚人心, 促进举办地的发展。

2. 观众

预计将有约5,000人参加, 包括参加世界跆拳道联欢会比赛的韩国和外国运动员、教练和官员、普通跆拳道爱好者及其家人以及当地居民。

3. 观众对跆拳道的认知

运动员、教练、官员、跆拳道爱好者及其家人是主要观众。考虑到这类观众对示范的期望较高, 示范应该展示创新的技术和出色的表演。

4. 示范地点和环境

示范地点位于韩国平昌郡大关岭面的龙平室内体育场。示范将在比赛垫上进行, 观众位于舞台上方。体育场周围的停车场非常大, 停车很方便。还有一个销售跆拳道用品的摊位。

5. 示范时间

20XX年XX月XX日 (星期XX) 下午1点, 整个示范持续14分钟

6. 示范团队的构成

国技院示范团体 <40名男性和女性, 目前为国技院示范团队成员>

7. 其他注意事项

根据对活动场地的初步勘察, 需要进行灯光和音响系统的验证, 并进行彩排。

平昌世界跆拳道联欢会示范节目

示范日期: 2021年XX月XX日 (星期XX)

示范者人数: 40人　　　示范时间: 14分钟

地点: 龙平室内体育场

顺序	示范内容	持续时间
1	踩踏两位辅助者, 做腾空前踢击破	30秒
2	冥想	30秒
3	联合动作	1分30秒
4	踩踏, 两阶段斜空翻前踢击破	30秒
5	1) 助跑跨越5位辅助者, 腾空540度旋风踢击破 2) 540度后旋踢击破 3) 跨越5位辅助者, 侧空翻侧踢击破 4) 720度旋风踢击破 5) 跨越5位辅助者, 三阶段侧踢击破	1分
6	1) 后空翻前踢击破 2) 毽子侧手翻两脚前踢击破 3) 四阶段毽子侧手翻前踢击破	30秒
7	1) 踩踏腾空两脚连续前踢击破 2) 五阶段后空翻前踢击破 3) 四阶段踩踏对角空翻前踢击破 4) 10回连续旋风踢击破 5) 踩踏对角空翻前踢击破 6) 5位示范者同时做900度后旋踢击破	1分
8	1) 蒙眼720度旋风踢击破 2) 蒙眼踩踏腾空前踢击破 3) 蒙眼踩踏对角空翻前踢击破	1分
9	蒙眼一对一护身约定对练	1分
10	1) 蒙眼五阶段腾空前踢击破 2) 蒙眼五阶段腾空横踢击破	30秒
11	1) 同时做对角空翻后旋踢击破 2) 踩踏旋风踢击破 3) 踩踏旋风踢击破 4) 五阶段900度后旋踢击破 5) 助跑三阶段腾空540度旋风踢击破 6) 五阶段剪刀踢击破 7) 七阶段腾空横踢击破 8) 八阶段腾空横踢击破	1分30秒
12	1) 踩踏, 两阶段对角空翻、双脚前踢击破 2) 踩踏六阶段前踢击破 3) 同时做10回连续后旋踢击破 4) 踩踏八阶段前踢击破 5) 踩踏后空翻、八阶段前踢击破	2分
13	创作品势	2分

平昌世界跆拳道联欢会示范节目具体安排

顺序	示范内容	描述
1	踩踏两位辅助者, 做腾空前踢击破	- 在舞台上展示高水平的技术, 宣布示范开始
2	冥想	- 播放冥想音乐, 打开舞台帷幕 - 整个团队盘腿坐下冥想
3	联合动作	- 冥想结束后立即切换到联合动作
4	踩踏, 两阶段对角空翻前踢击破	- 联合动作完成后, 形成阵形并击碎障碍物, 表示击破开始
5	1) 助跑跨越5位辅助者, 腾空540度旋风踢击破 2) 540度后旋踢击破 3) 跨越5位辅助者, 侧空翻侧踢击破 4) 720度旋风踢击破 5) 跨越5位辅助者, 三阶段侧踢击破	- 跨越5名辅助者, 进行跳跃旋风踢 - 跳跃540度旋风踢击破 - 跨越辅助者, 做侧翻和侧踢 - 720度旋风踢击破 - 越过辅助者, 背对辅助者做三阶段侧踢
6	1) 后空翻前踢击破 2) 毽子侧手翻两脚前踢击破 3) 四阶段毽子侧手翻前踢击破	- 逐渐增加松木板高度, 提高难度, 并进行击破 - 在短时间间隔内进行连续击打 - 检查破碎物飞行的方向
7	1) 踩踏腾空两脚连续前踢击破 2) 五阶段后空翻前踢击破 3) 四阶段踩踏对角空翻前踢击破 4) 10回连续旋风踢击破 5) 踩踏对角空翻前踢击破 6) 5位示范者同时做900度后旋踢击破	- 逐渐增加难度, 允许连续击打 - 在阵形的安排上, 应使观众能够清楚地看到击打的瞬间 - 用聚光灯突出每组击破动作
8	1) 蒙眼720度旋风踢击破 2) 蒙眼踩踏腾空前踢击破 3) 蒙眼踩踏对角斜空翻前踢击破	- 示范者1: 蒙眼做720度旋风踢 - 示范者2: 蒙眼做踩踏腾空前踢击破 - 示范者3: 蒙眼做踩踏对角空翻前踢击破 - 确保每个示范者按顺序执行动作
9	蒙眼一对一护身约定对练	- 蒙上眼睛, 只用剩余的感觉展示护身跆拳道技术
10	1) 蒙眼五阶段腾空前踢击破 2) 蒙眼五阶段腾空横踢击破	- 蒙上眼睛, 连续做五阶段腾空前踢击破和五阶段腾空横踢击破

示范的编排

11	1) 同时做对角空翻后旋踢击破	- 连续做高难度的击破动作
	2) 踩踏旋风踢击破	- 踩踏旋风踢和900度后旋踢
	3) 踩踏旋风踢击破	- 分阶段进行击破
	4) 五阶段900度后旋踢击破	- 按照以下顺序进行击破：五阶段剪刀踢、七阶段腾空横
	5) 助跑三阶段腾空540度旋风踢击破	踢、八阶段腾空横踢
	6) 五阶段剪刀踢击破	
	7) 七阶段腾空横踢击破	
	8) 八阶段腾空横踢击破	
12	1) 踩踏，两阶段对角空翻、双脚前踢击破	- 从最高难度开始
	2) 踩踏六阶段前踢击破	- 在连续击破高举的多个松木板后小心着地
	3) 同时做10回连续后旋踢击破	- 两人轮流进行带有后旋踢的快速击破
	4) 踩踏八阶段前踢击破	
	5) 踩踏后空翻、八阶段前踢击破	
13	创作品势	- 整个团队以统一、克制的方式进行基本动作 - 示范结束时，所有人谢幕，活动收尾

(2) 大规模示范——室外

① 表演目的: 在与世界各地的人们共同参加的活动中吸引对跆拳道的兴趣, 推广韩国的国民运动, 例如1988年首尔奥运会

② 观众对象: 运动员、教练、观众以及通过媒体观看的全球观众

③ 地点: 户外运动场 (可容纳1,000人以上)

④ 持续时间: 10分钟

⑤ 示范者: 100多名跆拳道示范者

⑥ 示范道具: 松木板、杆子、麦克风系统、音响系统

⑦ 注意事项

- 提前检查示范场地的条件。

- 由于是户外活动, 需要检查天气情况。

- 辨识并准备应对外部阻力, 包括风的影响。

- 由于示范是作为更大型活动的一部分进行的, 请确认示范前后的入场和退场情况以免影响其他活动。

- 通过检查示范地点的地面状况, 确定是否光脚进行示范还是穿跆拳道鞋。

- 示范应以整个示范团队展示统一的动作和动态形象的团体比赛形式组织。

- 由于是涉及大量示范者的大规模表演, 确保整个示范团队对示范的内容和构成都非常熟悉。

- 在编排示范时, 考虑观众的观看位置, 更注重整体示范的形象而非细节动作。

- 由于涉及大量示范者, 需要进行足够的整体动作和路径的训练。

- 对于团体示范, 通过团体训练进行整体单位的训练。

- 示范在设置上应使观众可以从各个方向观看, 同时使用电子显示屏和LED屏幕来展示观众难以看到的细节。

- 在开放空间进行示范时, 需要检查所有电子设备 (如音响系统) 的状态。

- 检查服务外国观众的字幕和翻译系统。

示范节目设计的示例

1988年首尔奥运会开幕式示范计划 (建议)

1. 示范概述

这是1988年9月17日在1988年首尔奥运会期间举行的庆典活动, 旨在以体育为核心概念, 将奥运会描绘为一个各国人民可以庆祝、享受和友好交流的和谐场所。

2. 观众

预计会有大量观众, 包括参加奥运会的国内外运动员、教练和韩国观众。

3. 观众对跆拳道的认知

运动员、教练和来自世界各地的人们是主要观众。由于跆拳道尚未成为奥运官方项目, 示范不仅应该将跆拳道作为韩国国技对外推广, 还应当作为一场壮观的表演呈现出来。

4. 示范地点和环境

示范地点位于首尔的蚕室体育场, 示范将在草地上进行, 座位位于舞台上方。作为一个规模非常庞大的户外活动, 需要注意环境和噪音, 并且在示范前后应检查整体流程, 以适应其他活动的安排。

5. 示范时间

1988年9月17日 (星期六) 上午10点

示范总时长为5分钟

6. 示范团队的构成

800名军人示范者和200名儿童示范者, 共计1,000人

7. 其他注意事项

根据初步场地勘察, 需要进行灯光和音响系统的测试以及彩排。

1988年首尔奥运会示范节目

示范日期: 1988年9月17日 (星期六)

示范者人数: 1,000人　　示范时间: 5分钟

地点: 首尔蚕室体育场

顺序	示范内容	持续时间
1	冥想	30秒
2	基本动作	30秒
3	联合动作	30秒
4	团体一对一约定护身对练	30秒
5	1) 成人团体——原地跳跃, 锤拳下击打击破 2) 儿童团体——原地跳跃, 冲拳击破 3) 成人团体——后旋踢击破 4) 儿童团体——四阶段垂直踢击破 5) 成人团体——旋风踢击破 6) 儿童团体——四阶段垂直后旋踢击破 7) 成人团体——360度单脚旋风踢击破 8) 儿童团体——跨越辅助者, 前踢击破 9) 成人团体——跨越辅助者, 腾空前踢击破 10) 儿童团体——踩踏辅助者后背, 前踢击破	2分30秒
6	团体腾空前踢击破	30秒

1988年首尔奥运会示范节目具体安排

顺序	示范内容	描述	照片
1	冥想	- 一旦冥想音乐开始播放，以口令开始 - 整个团队盘腿坐下冥想 - 以口令结束	
2	简单动作	- 30秒后，准备进行简单的动作 - 根据年龄将成人和儿童分组 - 成人和儿童分组轮流进行动作表演 - 由于是户外舞台，要发出简单而有力的呐喊声 - 因为是户外运动场，使用麦克风传递信号	
3	联合动作	- 简单动作完成后，所有成人和儿童一起表演动作 - 以口令开始和结束 - 由于是户外舞台，要发出简单而有力的呐喊声 - 因为是户外运动场，使用麦克风传递信号	
4	团体一对一约定护身对练	- 将动作4至6分为1至5个步骤开始表演 - 在简单动作的基础上，逐步增加难度 - 所有1,000名示范者同时表演相同的动作 - 在护身动作之后，迅速转入击破阵形 - 由于是户外舞台，要发出简单而有力的呐喊声 - 因为是户外运动场，使用麦克风传递信号	

| 5 | 团体技术击破
1) 成人团体——原地跳跃，锤拳下击打击破
2) 儿童团体——原地跳跃，冲拳击破
3) 成人团体——后旋踢击破
4) 儿童团体——四阶段垂直踢击破
5) 成人团体——旋风踢击破
6) 儿童团体——四阶段垂直后旋踢击破
7) 成人团体——360度单脚旋风踢击破
8) 儿童团体——跨越辅助者，前踢击破
9) 成人团体——跨越辅助者，腾空前踢击破
10) 儿童团体——踩踏辅助者后背，前踢击破 | - 增加难度并连续进行击打
- 在短时间间隔内进行连续击打
- 击破后，阵形应迅速移动，以便下一组破动作清晰可见
- 在阵形的安排上，应使观众能够清楚地看到击打的瞬间
- 将每个动作的位置安排得与整体协调一致
- 检查破碎物飞行的方向
- 分开成人和儿童示范者
- 由于是户外舞台，要发出简单而有力的呐喊声
- 因为是户外运动场，使用麦克风传递信号 | |
| 6 | 团体腾空前踢击破 | - 大规模阵形沿中线倾斜
- 根据信号，超过100名示范者连续进行击破动作
- 在短时间间隔内进行连续击打
- 击破后，阵形应迅速移动，以便下一组击破动作清晰可见
- 由于是户外舞台，要发出简单而有力的呐喊声
- 因为是户外运动场，使用麦克风传递信号
- 示范结束后立即离开舞台 | |

参考文献

国技院 (1987). 国技跆拳道教本. Samhoon Publisher出版社.

国技院 (2005). 跆拳道教本. Osung Publisher出版社.

国技院 (2006). 跆拳道历史与精神研究.

国技院 (2007). 跆拳道历史与精神后续研究.

国技院 (2008). 跆拳道技术发展研究.

国技院 (2008). 跆拳道术语建立研究.

国技院 (2009). 跆拳道仪式发展研究.

国技院 (2009). 跆拳道技术运动学原理建立研究.

国技院 (2009). 跆拳道术语建立研究.

国技院 (2010). 跆拳道技术词汇表.

国技院 (2011). 发展世界跆拳道标准训练指南的研究.

国技院 (2012). 跆拳道身份研究: 自然科学-跆拳道技术的示范难度级别分类.

国技院 (2012). 世界跆拳道学院基础教本: 跆拳道与人文学科, 自然科学, 技术和奥林匹克.

国技院 (2014). 通过跆拳道技术结构和系统分析的源技术发展第一阶段研究.

国技院 (2014). 关于跆拳道训练的精神价值的研究.

国技院 (2015). 关于跆拳道源技术开发的第二阶段研究: 击破指南.

国技院 (2016). 跆拳道教本: 基础和品势, 实战, 护身术.

国技院 (2017). 跆拳道击破技术词汇表.

国技院 (2018). 跆拳道教本编写的专家研讨会和在线调查研究.

国技院 (2019). 跆拳道术语词典.

国技院 (2020). 关于跆拳道精神的研究.

国技院 (2020). 跆拳道教本编写研究.

国技院 (2021). 跆拳道教本编写设计研究.

跆拳道教本第五卷: 击破/示范

第一版印刷	2023年11月30日	
编辑委员长	李銅燮(国技院院长)	
总监	朴鍾範(国技院)	
作者	張權(韩国体育大学)	郭宅鎔(龙仁大学)
专门委员	姜元植(国技院)	李奎鉉(国技院)
	郭基玉(国技院)	李鍾寬(国技院)
	李高範(国技院)	楊鎭芳(大韩跆拳道协会)
	安容奎(韩国体育大学)	丁局鉉(韩国体育大学)
	許建植(世界武艺大师委员会)	
项目经理	李美蓮(国技院)	
验收	方仁周(韩国体育大学)	蔣岷均(韩国体育大学)
	南相奭(国技院)	

发行单位	国技院
地址	韩国首尔市江南区德黑兰路7街32号, 邮编06130
电话	+82-2-3469-0185
传真	+82-2-3469-0189
网站	research.kukkiwon.or.kr

编辑-印刷	Myungjin C&P Co.公司
地址	韩国首尔市永登浦区京仁路82街3-4号, CenterPlus大厦616室
电话	+82-2-2164-3000
传真	+82-2-2164-3010
ISBN	979-11-91659-19-1 (94690)